suhrkamp ta

Marianne Djuth
2 Hmb 60
Willistr. 1

Hermann Hesse, am 2. Juli 1877 in Calw/Württemberg als Sohn eines baltendeutschen Missionars geboren, starb am 9. August 1962 in Montagnola bei Lugano. Das Werk Hermann Hesses, ausgezeichnet mit dem Nobelpreis 1946, erscheint im Suhrkamp Verlag.
Hermann Hesse, dessen Bücher in den USA in einer Gesamtauflage von über 8, in Japan von über 6 Millionen Exemplaren verbreitet sind, ist dort der meistgelesene europäische Autor. Mit Übersetzungen in 35 Sprachen und 12 indische Dialekte finden seine Schriften nun bereits in der dritten Generation junger Leser eine beispiellose Resonanz.
Robert Neumann: »Das Bekenntnis zu Hermann Hesse scheint mir heute inmitten einer lärmvoll himmelstürmenden ›Jungen Generation‹ von doppelter Bedeutung zu sein: Ein Festhalten an der Natur und am Natürlichen, an der Landschaft und an der Schlichtheit des Wortes.«
Diese Legende von der Selbstbefreiung eines jungen Menschen aus den familiären und gesellschaftlichen Konventionen zu einem eigenständigen Leben variiert die Erkenntnis, daß Bewußtsein nicht überlieferbar ist durch Lehren, sondern nur durch eigene Erfahrung erworben werden kann. In dieser Dichtung suchte Hesse zu ergründen, »was allen Konfessionen und allen menschlichen Formen der Frömmigkeit gemeinsam ist, was über allen nationalen Verschiedenheiten steht, was von jeder Rasse und von jedem Einzelnen geglaubt werden kann.« Wie authentisch diese »Indische Legende« buddhistisches Gedankengut assimiliert hat, beweisen nicht nur die Millionenauflagen in Japan und Indien, sondern nicht zuletzt die Tatsache, daß *Siddhartha* in zwölf verschiedene indische Dialekte übersetzt wurde.

Hermann Hesse
Siddhartha

Eine indische Dichtung

Suhrkamp

Siddhartha wurde in den Jahren 1919–1922 geschrieben

suhrkamp taschenbuch 182
Zweite Auflage, 26.–50. Tausend 1974
 Suhrkamp Taschenbuch Verlag. Satz: Typo Bach, Wiesbaden. Druck: Ebner, Ulm. Printed in Germany. Umschlag nach Entwürfen von Willy Fleckhaus und Rolf Staudt.

Erster Teil

Lieber, verehrter Romain Rolland!

Seit dem Herbst des Jahres 1914, da die seit kurzem
eingebrochene Atemnot der Geistigkeit auch mir plötzlich
spürbar wurde, und wir einander von fremden Ufern
her die Hand gaben, im Glauben an dieselben übernationalen
Notwendigkeiten, seither habe ich den Wunsch gehabt,
Ihnen einmal ein Zeichen meiner Liebe
und zugleich eine Probe meines Tuns und einen Blick
in meine Gedankenwelt zu geben.
Nehmen Sie die Widmung des ersten Teiles
meiner noch unvollendeten indischen Dichtung
freundlichst entgegen von Ihrem

Hermann Hesse

Der Sohn des Brahmanen

Im Schatten des Hauses, in der Sonne des Flußufers bei den Booten, im Schatten des Salwaldes, im Schatten des Feigenbaumes wuchs Siddhartha auf, der schöne Sohn des Brahmanen, der junge Falke, zusammen mit Govinda, seinem Freunde, dem Brahmanensohn. Sonne bräunte seine lichten Schultern am Flußufer, beim Bade, bei den heiligen Waschungen, bei den heiligen Opfern. Schatten floß in seine schwarzen Augen im Mangohain, bei den Knabenspielen, beim Gesang der Mutter, bei den heiligen Opfern, bei den Lehren seines Vaters, des Gelehrten, beim Gespräch der Weisen. Lange schon nahm Siddhartha am Gespräch der Weisen teil, übte sich mit Govinda im Redekampf, übte sich mit Govinda in der Kunst der Betrachtung, im Dienst der Versenkung. Schon verstand er, lautlos das Om zu sprechen, das Wort der Worte, es lautlos in sich hineinzusprechen mit dem Einhauch, es lautlos aus sich herauszusprechen mit dem Aushauch, mit gesammelter Seele, die Stirn umgeben vom Glanz des klar denkenden Geistes. Schon verstand er, im Innern seines Wesens Atman zu wissen, unzerstörbar, eins mit dem Weltall.
Freude sprang in seines Vaters Herzen über den Sohn, den Gelehrigen, den Wissensdurstigen, einen großen Weisen und Priester sah er in ihm heranwachsen, einen Fürsten unter den Brahmanen.
Wonne sprang in seiner Mutter Brust, wenn sie ihn sah, wenn sie ihn schreiten, wenn sie ihn niedersitzen und aufstehen sah, Siddhartha, den Starken, den Schönen, den auf schlanken Beinen Schreitenden, den mit vollkommenem Anstand sie Begrüßenden.
Liebe rührte sich in den Herzen der jungen Brahmanentöchter, wenn Siddhartha durch die Gassen der Stadt ging, mit der leuchtenden Stirn, mit dem Königsauge, mit den schmalen Hüften.

Mehr als sie alle aber liebte ihn Govinda, sein Freund, der Brahmanensohn. Er liebte Siddharthas Auge und holde Stimme, er liebte seinen Gang und den vollkommenen Anstand seiner Bewegungen, er liebte alles, was Siddhartha tat und sagte, und am meisten liebte er seinen Geist, seine hohen, feurigen Gedanken, seinen glühenden Willen, seine hohe Berufung. Govinda wußte: dieser wird kein gemeiner Brahmane werden, kein fauler Opferbeamter, kein habgieriger Händler mit Zaubersprüchen, kein eitler, leerer Redner, kein böser, hinterlistiger Priester, und auch kein gutes, dummes Schaf in der Herde der vielen. Nein, und auch er, Govinda, wollte kein solcher werden, kein Brahmane, wie es zehntausend gibt. Er wollte Siddhartha folgen, dem Geliebten, dem Herrlichen. Und wenn Siddhartha einstmals ein Gott würde, wenn er einstmals eingehen würde zu den Strahlenden, dann wollte Govinda ihm folgen, als sein Freund, als sein Begleiter, als sein Diener, als sein Speerträger, sein Schatten.
So liebten den Siddhartha alle. Allen schuf er Freude, allen war er zur Lust.
Er aber, Siddhartha, schuf sich nicht Freude, er war sich nicht zur Lust. Wandelnd auf den rosigen Wegen des Feigengartens, sitzend im bläulichen Schatten des Hains der Betrachtung, waschend seine Glieder im täglichen Sühnebad, opfernd im tiefschattigen Mangowald, von vollkommenen Anstand der Gebärden, von allen geliebt, aller Freude, trug er doch keine Freude im Herzen. Träume kamen ihm und rastlose Gedanken aus dem Wasser des Flusses geflossen, aus den Sternen der Nacht gefunkelt, aus den Strahlen der Sonne geschmolzen, Träume kamen ihm und Ruhelosigkeit der Seele, aus den Opfern geraucht, aus den Versen der Rig-Veda gehaucht, aus den Lehren der alten Brahmanen geträufelt.
Siddhartha hatte begonnen, Unzufriedenheit in sich zu nähren. Er hatte begonnen zu fühlen, daß die Liebe seines Vaters, und die Liebe seiner Mutter, und auch die Liebe seines Freundes, Govindas, nicht immer und für alle Zeit ihn beglücken, ihn stillen, ihn sättigen, ihm genügen werde. Er hatte begonnen zu

ahnen, daß sein ehrwürdiger Vater und seine anderen Lehrer, daß die weisen Brahmanen ihm von ihrer Weisheit das meiste und beste schon mitgeteilt, daß sie ihre Fülle schon in sein wartendes Gefäß gegossen hätten, und das Gefäß war nicht voll, der Geist war nicht begnügt, die Seele war nicht ruhig, das Herz nicht gestillt. Die Waschungen waren gut, aber sie waren Wasser, sie wuschen nicht Sünde ab, sie heilten nicht Geistesdurst, sie lösten nicht Herzensangst. Vortrefflich waren die Opfer und die Anrufung der Götter – aber war dies alles? Gaben die Opfer Glück? Und wie war das mit den Göttern? War es wirklich Prajapati, der die Welt erschaffen hat? War es nicht der Atman, Er, der Einzige, der Alleine? Waren nicht die Götter Gestaltungen, erschaffen wie ich und du, der Zeit untertan, vergänglich? War es also gut, war es richtig, war es ein sinnvolles und höchstes Tun, den Göttern zu opfern? Wem anders war zu opfern, wem anders war Verehrung darzubringen als Ihm, dem Einzigen, dem Atman? Und wo war Atman zu finden, wo wohnte Er, wo schlug Sein ewiges Herz, wo anders als im eigenen Ich, im Innersten, im Unzerstörbaren, das ein jeder in sich trug? Aber wo, wo war dies Ich, dies Innerste, dies Letzte? Es war nicht Fleisch und Bein, es war nicht Denken noch Bewußtsein, so lehrten die Weisesten. Wo, wo also war es? Dorthin zu dringen, zum Ich, zu mir, zum Atman – gab es einen andern Weg, den zu suchen sich lohnte? Ach, und niemand zeigte diesen Weg, niemand wußte ihn, nicht der Vater, nicht die Lehrer und Weisen, nicht die heiligen Opfergesänge! Alles wußten sie, die Brahmanen und ihre heiligen Bücher, alles wußten sie, um alles hatten sie sich gekümmert und um mehr als alles, die Erschaffung der Welt, das Entstehen der Rede, der Speise, des Einatmens, des Ausatmens, die Ordnungen der Sinne, die Taten der Götter – unendlich vieles wußten sie –, aber war es wertvoll, dies alles zu wissen, wenn man das Eine und Einzige nicht wußte, das Wichtigste, das allein Wichtige?

Gewiß, viele Verse der heiligen Bücher, zumal in den Upanishaden des Samaveda, sprachen von diesem Innersten und

Letzten, herrliche Verse. »Deine Seele ist die ganze Welt«, stand da geschrieben, und geschrieben stand, daß der Mensch im Schlafe, im Tiefschlaf, zu seinem Innersten eingehe und im Atman wohne. Wunderbare Weisheit stand in diesen Versen, alles Wissen der Weisesten stand hier in magischen Worten gesammelt, rein wie von Bienen gesammelter Honig. Nein, nicht geringzuachten war das Ungeheure an Erkenntnis, das hier von unzählbaren Geschlechterfolgen weiser Brahmanen gesammelt und bewahrt lag. – Aber wo waren die Brahmanen, wo die Priester, wo die Weisen oder Büßer, denen es gelungen war, dieses tiefste Wissen nicht bloß zu wissen, sondern zu leben? Wo war der Kundige, der das Daheimsein im Atman aus dem Schlafe herüberzauberte ins Wachsein, in das Leben, in Schritt und Tritt, in Wort und Tat? Viele ehrwürdige Brahmanen kannte Siddhartha, seinen Vater vor allen, den Reinen, den Gelehrten, den höchst Ehrwürdigen. Zu bewundern war sein Vater, still und edel war sein Gehaben, rein sein Leben, weise sein Wort, feine und adlige Gedanken wohnten in seiner Stirn – aber auch er, der so viel Wissende, lebte er denn in Seligkeit, hatte er Frieden, war er nicht auch nur ein Suchender, ein Dürstender? Mußte er nicht immer und immer wieder an heiligen Quellen, ein Durstender, trinken, am Opfer, an den Büchern, an der Wechselrede der Brahmanen? Warum mußte er, der Untadelige, jeden Tag Sünde abwaschen, jeden Tag sich um Reinigung mühen, jeden Tag von neuem? War denn nicht Atman in ihm, floß denn nicht in seinem eigenen Herzen der Urquell? Ihn mußte man finden, den Urquell im eigenen Ich, ihn mußte man zu eigen haben! Alles andre war Suchen, war Umweg, war Verirrung.
So waren Siddharthas Gedanken, dies war sein Durst, dies sein Leiden.
Oft sprach er aus einem Chandogya-Upanishad sich die Worte vor: »Fürwahr, der Name des Brahman ist Satyam – wahrlich, wer solches weiß, der geht täglich ein in die himmlische Welt.« Oft schien sie nahe, die himmlische Welt, aber niemals hatte er sie ganz erreicht, nie den letzten Durst gelöscht. Und

von allen Weisen und Weisesten, die er kannte und deren Belehrung er genoß, von ihnen allen war keiner, der sie ganz erreicht hatte, die himmlische Welt, der ihn ganz gelöscht hatte, den ewigen Durst.
»Govinda«, sprach Siddhartha zu seinem Freunde, »Govinda, Lieber, komm mit mir unter den Banyanenbaum, wir wollen der Versenkung pflegen.«
Sie gingen zum Banyanenbaum, sie setzten sich nieder, hier Siddhartha, zwanzig Schritte weiter Govinda. Indem er sich niedersetzte, bereit, das Om zu sprechen, wiederholte Siddhartha murmelnd den Vers:

»Om ist Bogen, der Pfeil ist Seele,
Das Brahman ist des Pfeiles Ziel,
Das soll man unentwegt treffen.«

Als die gewohnte Zeit der Versenkungsübung hingegangen war, erhob sich Govinda. Der Abend war gekommen, Zeit war es, die Waschung der Abendstunde vorzunehmen. Er rief Siddharthas Namen. Siddhartha gab nicht Antwort. Siddhartha saß versunken, seine Augen standen starr auf ein sehr fernes Ziel gerichtet, seine Zungenspitze stand ein wenig zwischen den Zähnen hervor, er schien nicht zu atmen. So saß er, in Versenkung gehüllt, Om denkend, seine Seele als Pfeil nach dem Brahman ausgesandt.
Einst waren Samanas durch Siddharthas Stadt gezogen, pilgernde Asketen, drei dürre, erloschene Männer, nicht alt noch jung, mit staubigen und blutigen Schultern, nahezu nackt, von der Sonne versengt, von Einsamkeit umgeben, fremd und feind der Welt, Fremdlinge und hagere Schakale im Reich der Menschen. Hinter ihnen her wehte heiß der Duft von stiller Leidenschaft, von zerstörendem Dienst, von mitleidloser Entselbstung.
Am Abend, nach der Stunde der Betrachtung, sprach Siddhartha zu Govinda: »Morgen in der Frühe, mein Freund, wird Siddhartha zu den Samanas gehen. Er wird ein Samana werden.«

Govinda erbleichte, da er die Worte hörte und im unbewegten Gesicht seines Freundes den Entschluß las, unablenkbar wie der vom Bogen losgeschnellte Pfeil. Alsbald und beim ersten Blick erkannte Govinda: nun beginnt es, nun geht Siddhartha seinen Weg, nun beginnt sein Schicksal zu sprossen, und mit seinem das meine. Und er wurde bleich wie eine trockene Bananenschale.
»O Siddhartha«, rief er, »wird das dein Vater dir erlauben?«
Siddhartha blickte herüber wie ein Erwachender. Pfeilschnell las er in Govindas Seele, las die Angst, las die Ergebung.
»O Govinda«, sprach er leise, »wir wollen nicht Worte verschwenden. Morgen mit Tagesanbruch werde ich das Leben der Samanas beginnen. Rede nicht mehr davon.«
Siddhartha trat in die Kammer, wo sein Vater auf einer Matte aus Bast saß, und trat hinter seinen Vater und blieb da stehen, bis sein Vater fühlte, daß einer hinter ihm stehe. Sprach der Brahmane: »Bist du es, Siddhartha? So sage, was zu sagen du gekommen bist.«
Sprach Siddhartha: »Mit deiner Erlaubnis, mein Vater. Ich bin gekommen, dir zu sagen, daß mich verlangt, morgen dein Haus zu verlassen und zu den Asketen zu gehen. Ein Samana zu werden, ist mein Verlangen. Möge mein Vater dem nicht entgegen sein.«
Der Brahmane schwieg, und schwieg so lange, daß im kleinen Fenster die Sterne wanderten und ihre Figur veränderten, ehe das Schweigen in der Kammer ein Ende fand. Stumm und regungslos stand mit gekreuzten Armen der Sohn, stumm und regungslos saß auf der Matte der Vater, und die Sterne zogen am Himmel. Da sprach der Vater: »Nicht ziemt es dem Brahmanen, heftige und zornige Worte zu reden. Aber Unwille bewegt mein Herz. Nicht möchte ich diese Bitte zum zweiten Male aus deinem Munde hören.«
Langsam erhob sich der Brahmane, Siddhartha stand stumm mit gekreuzten Armen.
»Worauf wartest du?« fragte der Vater.
Sprach Siddhartha: »Du weißt es.«

Unwillig ging der Vater aus der Kammer, unwillig suchte er sein Lager auf und legte sich nieder.
Nach einer Stunde, da kein Schlaf in seine Augen kam, stand der Brahmane auf, tat Schritte hin und her, trat aus dem Hause. Durch das kleine Fenster der Kammer blickte er hinein, da sah er Siddhartha stehen, mit gekreuzten Armen, unverrückt. Bleich schimmerte sein helles Obergewand. Unruhe im Herzen, kehrte der Vater zu seinem Lager zurück.
Nach einer Stunde, da kein Schlaf in seine Augen kam, stand der Brahmane von neuem auf, tat Schritte hin und her, trat vor das Haus, sah den Mond aufgegangen. Durch das Fenster der Kammer blickte er hinein, da stand Siddhartha, unverrückt, mit gekreuzten Armen, an seinen bloßen Schienbeinen spiegelte das Mondlicht. Besorgnis im Herzen, suchte der Vater sein Lager auf.
Und er kam wieder nach einer Stunde, und kam wieder nach zweien Stunden, blickte durchs kleine Fenster, sah Siddhartha stehen, im Mond, im Sternenschein, in der Finsternis. Und kam wieder von Stunde zu Stunde, schweigend, blickte in die Kammer, sah den unverrückt Stehenden, füllte sein Herz mit Zorn, füllte sein Herz mit Unruhe, füllte sein Herz mit Zagen, füllte es mit Leid.
Und in der letzten Nachtstunde, ehe der Tag begann, kehrte er wieder, trat in die Kammer, sah den Jüngling stehen, der ihm groß und wie fremd erschien.
»Siddhartha«, sprach er, »worauf wartest du?«
»Du weißt es.«
»Wirst du immer so stehen und warten, bis es Tag wird, Mittag wird, Abend wird?«
»Ich werde stehen und warten.«
»Du wirst müde werden, Siddhartha.«
»Ich werde müde werden.«
»Du wirst einschlafen, Siddhartha.«
»Ich werde nicht einschlafen.«
»Du wirst sterben, Siddhartha.«
»Ich werde sterben.«

»Und willst lieber sterben, als deinem Vater gehorchen?«
»Siddhartha hat immer seinem Vater gehorcht.«
»So willst du dein Vorhaben aufgeben?«
»Siddhartha wird tun, was sein Vater ihm sagen wird.«
Der erste Schein des Tages fiel in die Kammer. Der Brahmane sah, daß Siddhartha in den Knien leise zitterte. In Siddharthas Gesicht sah er kein Zittern, fernhin blickten die Augen. Da erkannte der Vater, daß Siddhartha schon jetzt nicht mehr bei ihm und in der Heimat weile, daß er ihn schon jetzt verlassen habe.
Der Vater berührte Siddharthas Schulter.
»Du wirst«, sprach er, »in den Wald gehen und ein Samana sein. Hast du Seligkeit gefunden im Walde, so komm und lehre mich Seligkeit. Findest du Enttäuschung, dann kehre wieder und laß uns wieder gemeinsam den Göttern opfern. Nun gehe und küsse deine Mutter, sage ihr, wohin du gehst. Für mich aber ist es Zeit, an den Fluß zu gehen und die erste Waschung vorzunehmen.«
Er nahm die Hand von der Schulter seines Sohnes und ging hinaus. Siddhartha schwankte zur Seite, als er zu gehen versuchte. Er bezwang seine Glieder, verneigte sich vor seinem Vater und ging zur Mutter, um zu tun, wie der Vater gesagt hatte.
Als er im ersten Tageslicht langsam auf erstarrten Beinen die noch stille Stadt verließ, erhob sich bei der letzten Hütte ein Schatten, der dort gekauert war, und schloß sich dem Pilgernden an – Govinda.
»Du bist gekommen«, sagte Siddhartha und lächelte.
»Ich bin gekommen«, sagte Govinda.

Bei den Samanas

Am Abend dieses Tages holten sie die Asketen ein, die dürren Samanas, und boten ihnen Begleitschaft und Gehorsam an. Sie wurden angenommen.
Siddhartha schenkte sein Gewand einem armen Brahmanen auf der Straße. Er trug nur noch die Schambinde und den erdfarbenen ungenähten Überwurf. Er aß nur einmal am Tage, und niemals Gekochtes. Er fastete fünfzehn Tage. Er fastete achtundzwanzig Tage. Das Fleisch schwand ihm von Schenkeln und Wangen. Heiße Träume flackerten aus seinen vergrößerten Augen, an seinen dorrenden Fingern wuchsen lang die Nägel und am Kinn der trockne, struppige Bart. Eisig wurde sein Blick, wenn er Weibern begegnete; sein Mund zuckte Verachtung, wenn er durch eine Stadt mit schön gekleideten Menschen ging. Er sah Händler handeln, Fürsten zur Jagd gehen, Leidtragende ihre Toten beweinen, Huren sich anbieten, Ärzte sich um Kranke mühen, Priester den Tag für die Aussaat bestimmen, Liebende lieben, Mütter ihre Kinder stillen – und alles war nicht den Blick seines Auges wert, alles log, alles stank, alles stank nach Lüge, alles täuschte Sinn und Glück und Schönheit vor, und alles war uneingestandene Verwesung. Bitter schmeckte die Welt. Qual war das Leben.
Ein Ziel stand vor Siddhartha, ein einziges: leer werden, leer von Durst, leer von Wunsch, leer von Traum, leer von Freude und Leid. Von sich selbst wegsterben, nicht mehr Ich sein, entleerten Herzens Ruhe zu finden, im entselbsteten Denken dem Wunder offenzustehen, das war sein Ziel. Wenn alles Ich überwunden und gestorben war, wenn jede Sucht und jeder Trieb im Herzen schwieg, dann mußte das Letzte erwachen, das Innerste im Wesen, das nicht mehr Ich ist, das große Geheimnis.
Schweigend stand Siddhartha im senkrechten Sonnenbrand,

glühend vor Schmerz, glühend vor Durst, und stand, bis er nicht Schmerz noch Durst mehr fühlte. Schweigend stand er in der Regenzeit, aus seinem Haare troff das Wasser über frierende Schultern, über frierende Hüften und Beine, und der Büßer stand, bis Schultern und Beine nicht mehr froren, bis sie schwiegen, bis sie still waren. Schweigend kauerte er im Dorngerank, aus der brennenden Haut tropfte das Blut, aus Schwären der Eiter, und Siddhartha verweilte starr, verweilte regungslos, bis kein Blut mehr floß, bis nichts mehr stach, bis nichts mehr brannte.

Siddhartha saß aufrecht und lernte den Atem sparen, lernte mit wenig Atem auskommen, lernte den Atem abzustellen. Er lernte, mit dem Atem beginnend, seinen Herzschlag beruhigen, lernte die Schläge seines Herzens vermindern, bis es wenige und fast keine mehr waren.

Vom Ältesten der Samanas belehrt, übte Siddhartha Entselbstung, übte Versenkung, nach neuen Samanaregeln. Ein Reiher flog überm Bambuswald – und Siddhartha nahm den Reiher in seine Seele auf, flog über Wald und Gebirg, war Reiher, fraß Fische, hungerte Reiherhunger, sprach Reihergekrächz, starb Reihertod. Ein toter Schakal lag am Sandufer, und Siddharthas Seele schlüpfte in den Leichnam hinein, war toter Schakal, lag am Strande, blähte sich, stank, verweste, ward von Hyänen zerstückt, ward von Geiern enthäutet, ward Gerippe, ward Staub, wehte ins Gefild. Und Siddharthas Seele kehrte zurück, war gestorben, war verwest, war zerstäubt, hatte den trüben Rausch des Kreislaufs geschmeckt, harrte in neuem Durst wie ein Jäger auf die Lücke, wo dem Kreislauf zu entrinnen wäre, wo das Ende der Ursachen, wo leidlose Ewigkeit begänne. Er tötete seine Sinne, er tötete seine Erinnerung, er schlüpfte aus seinem Ich in tausend fremde Gestaltungen, war Tier, war Aas, war Stein, war Holz, war Wasser, und fand sich jedesmal erwachend wieder, Sonne schien oder Mond, war wieder Ich, schwang im Kreislauf, fühlte Durst, überwand den Durst, fühlte neuen Durst.

Vieles lernte Siddhartha bei den Samanas, viele Wege vom

Ich hinweg lernte er gehen. Er ging den Weg der Entselbstung durch den Schmerz, durch das freiwillige Erleiden und Überwinden des Schmerzes, des Hungers, des Durstes, der Müdigkeit. Er ging den Weg der Entselbstung durch Meditation, durch das Leerdenken des Sinnes von allen Vorstellungen. Diese und andere Wege lernte er gehen, tausendmal verließ er sein Ich, stundenlang und tagelang verharrte er im Nicht-Ich. Aber ob auch die Wege vom Ich hinwegführten, ihr Ende führte doch immer zum Ich zurück. Ob Siddhartha tausendmal dem Ich entfloh, im Nichts verweilte, im Tier, im Stein verweilte, unvermeidlich war die Rückkehr, unentrinnbar die Stunde, da er sich wiederfand, im Sonnenschein oder im Mondschein, im Schatten oder im Regen, und wieder Ich und Siddhartha war, und wieder die Qual des auferlegten Kreislaufes empfand.
Neben ihm lebte Govinda, sein Schatten, ging dieselben Wege, unterzog sich denselben Bemühungen. Selten sprachen sie anderes miteinander, als der Dienst und die Übungen erforderten. Zuweilen gingen sie zu zweien durch die Dörfer, um Nahrung für sich und ihre Lehrer zu betteln.
»Wie denkst du, Govinda«, sprach einst auf diesem Bettelgang Siddhartha, »wie denkst du, sind wir weitergekommen? Haben wir Ziele erreicht?«
Antwortete Govinda: »Wir haben gelernt, und wir lernen weiter. Du wirst ein großer Samana sein, Siddhartha. Schnell hast du jede Übung gelernt, oft haben die alten Samanas dich bewundert. Du wirst ein Heiliger sein, o Siddhartha.«
Sprach Siddhartha: »Mir will es nicht so erscheinen, mein Freund. Was ich bis zu diesem Tage bei den Samanas gelernt habe, das, o Govinda, hätte ich schneller und einfacher lernen können. In jeder Kneipe eines Hurenviertels, mein Freund, unter den Fuhrleuten und Würfelspielern hätte ich es lernen können.«
Sprach Govinda: »Siddhartha macht sich einen Scherz mit mir. Wie hättest du Versenkung, wie hättest du Anhalten des Atems, wie hättest du Unempfindsamkeit gegen Hunger und Schmerz dort bei jenen Elenden lernen sollen?«

Und Siddhartha sagte leise, als spräche er zu sich selber: »Was ist Versenkung? Was ist Verlassen des Körpers? Was ist Fasten? Was ist Anhalten des Atems? Es ist Flucht vor dem Ich, es ist ein kurzes Entrinnen aus der Qual des Ichseins, es ist eine kurze Betäubung gegen den Schmerz und die Unsinnigkeit des Lebens. Dieselbe Flucht, dieselbe kurze Betäubung findet der Ochsentreiber in der Herberge, wenn er einige Schalen Reiswein trinkt oder gegorene Kokosmilch. Dann fühlt er sein Selbst nicht mehr, dann fühlt er die Schmerzen des Lebens nicht mehr, dann findet er kurze Betäubung. Er findet, über seiner Schale mit Reiswein eingeschlummert, dasselbe, was Siddhartha und Govinda finden, wenn sie in langen Übungen aus ihrem Körper entweichen, im Nicht-Ich verweilen. So ist es, o Govinda.«

Sprach Govinda: »So sagst du, o Freund, und weißt doch, daß Siddhartha kein Ochsentreiber ist und ein Samana kein Trunkenbold. Wohl findet der Trinker Betäubung, wohl findet er kurze Flucht und Rast, aber er kehrt zurück aus dem Wahn und findet alles beim alten, ist nicht weiser geworden, hat nicht Erkenntnis gesammelt, ist nicht um Stufen höher gestiegen.«

Und Siddhartha sprach mit Lächeln: »Ich weiß es nicht, ich bin nie ein Trinker gewesen. Aber daß ich, Siddhartha, in meinen Übungen und Versenkungen nur kurze Betäubung finde und ebenso weit von der Weisheit, von der Erlösung entfernt bin wie als Kind im Mutterleibe, das weiß ich, o Govinda, das weiß ich.«

Und wieder ein anderes Mal, da Siddhartha mit Govinda den Wald verließ, um im Dorfe etwas Nahrung für ihre Brüder und Lehrer zu betteln, begann Siddhartha zu sprechen und sagte: »Wie nun, o Govinda, sind wir wohl auf dem rechten Wege? Nähern wir uns wohl der Erkenntnis? Nähern wir uns wohl der Erlösung? Oder gehen wir nicht vielleicht im Kreise – wir, die wir doch dem Kreislauf zu entrinnen dachten?«

Sprach Govinda: »Viel haben wir gelernt, Siddhartha, viel bleibt noch zu lernen. Wir gehen nicht im Kreise, wir gehen

nach oben, der Kreis ist eine Spirale, manche Stufe sind wir schon gestiegen.«
Antwortete Siddhartha: »Wie alt wohl, meinst du, ist unser ältester Samana, unser ehrwürdiger Lehrer?«
Sprach Govinda: »Vielleicht sechzig Jahre mag unser Ältester zählen.«
Und Siddhartha: »Sechzig Jahre ist er alt geworden und hat Nirwana nicht erreicht. Er wird siebzig werden und achtzig, und du und ich, wir werden ebenso alt werden und werden uns üben, und werden fasten, und werden meditieren. Aber Nirwana werden wir nicht erreichen, er nicht, wir nicht. O Govinda, ich glaube, von allen Samanas, die es gibt, wird vielleicht nicht einer, nicht einer Nirwana erreichen. Wir finden Tröstungen, wir finden Betäubungen, wir lernen Kunstfertigkeiten, mit denen wir uns täuschen. Das Wesentliche aber, den Weg der Wege, finden wir nicht.«
»Mögest du doch«, sprach Govinda, »nicht so erschreckende Worte aussprechen, Siddhartha! Wie sollte denn unter so vielen gelehrten Männern, unter so viel Brahmanen, unter so vielen strengen und ehrwürdigen Samanas, unter so viel suchenden, so viel innig beflissenen, so viel heiligen Männern keiner den Weg der Wege finden?«
Siddhartha aber sagte mit einer Stimme, welche so viel Trauer wie Spott enthielt, mit einer leisen, einer etwas traurigen, einer etwas spöttischen Stimme: »Bald, Govinda, wird dein Freund diesen Pfad der Samanas verlassen, den er so lang mit dir gegangen ist. Ich leide Durst, o Govinda, und auf diesem langen Samanawege ist mein Durst um nichts kleiner geworden. Immer habe ich nach Erkenntnis gedürstet, immer bin ich voll von Fragen gewesen. Ich habe die Brahmanen befragt, Jahr um Jahr, und habe die heiligen Vedas befragt, Jahr um Jahr, und habe die frommen Samanas befragt, Jahr um Jahr. Vielleicht, o Govinda, wäre es ebenso gut, wäre es ebenso klug und ebenso heilsam gewesen, wenn ich den Nashornvogel oder den Schimpansen befragt hätte. Lange Zeit habe ich gebraucht und bin noch nicht damit zu Ende, um

dies zu lernen, o Govinda: daß man nichts lernen kann! Es gibt, so glaube ich, in der Tat jenes Ding nicht, das wir ›Lernen‹ nennen. Es gibt, o mein Freund, nur ein Wissen, das ist überall, das ist Atman, das ist in mir und in dir und in jedem Wesen. Und so beginne ich zu glauben: dies Wissen hat keinen ärgeren Feind als das Wissenwollen, als das Lernen.«
Da blieb Govinda auf dem Wege stehen, erhob die Hände und sprach: »Mögest du, Siddhartha, deinen Freund doch nicht mit solchen Reden beängstigen! Wahrlich, Angst erwecken deine Worte in meinem Herzen. Und denke doch nur: wo bliebe die Heiligkeit der Gebete, wo bliebe die Ehrwürdigkeit des Brahmanenstandes, wo die Heiligkeit der Samanas, wenn es so wäre, wie du sagst, wenn es kein Lernen gäbe?! Was, o Siddhartha, was würde dann aus alledem werden, was auf Erden heilig, was wertvoll, was ehrwürdig ist?!«
Und Govinda murmelte einen Vers vor sich hin, einen Vers aus einer Upanishad:

»Wer nachsinnend, geläuterten Geistes, in Atman sich versenkt,
Unaussprechlich durch Worte ist seines Herzens Seligkeit.«

Siddhartha aber schwieg. Er dachte der Worte, welche Govinda zu ihm gesagt hatte, und dachte die Worte bis an ihr Ende.
Ja, dachte er, gesenkten Hauptes stehend, was bliebe noch übrig von allem, was uns heilig schien? Was bleibt? Was bewährt sich? Und er schüttelte den Kopf.
Einstmals, als die beiden Jünglinge gegen drei Jahre bei den Samanas gelebt und ihre Übungen geteilt hatten, da erreichte sie auf mancherlei Wegen und Umwegen eine Kunde, ein Gerücht, eine Sage: Einer sei erschienen, Gotama genannt, der Erhabene, der Buddha, der habe in sich das Leid der Welt überwunden und das Rad der Wiedergeburten zum Stehen gebracht. Lehrend ziehe er, von Jüngern umgeben, durch das Land, besitzlos, heimatlos, weiblos, im gelben Mantel eines Asketen, aber mit heiterer Stirn, ein Seliger, und Brahmanen und Fürsten beugten sich vor ihm und würden seine Schüler.

Diese Sage, dies Gerücht, dies Märchen klang auf, duftete empor, hier und dort, in den Städten sprachen die Brahmanen davon, im Wald die Samanas, immer wieder drang der Name Gotamas, des Buddha, zu den Ohren der Jünglinge, im Guten und im Bösen, in Lobpreisung und in Schmähung.
Wie wenn in einem Lande die Pest herrscht, und es erhebt sich die Kunde, da und dort sei ein Mann, ein Weiser, ein Kundiger, dessen Wort und Anhauch genüge, um jeden von der Seuche Befallenen zu heilen, und wie dann diese Kunde das Land durchläuft und jedermann davon spricht, viele glauben, viele zweifeln, viele aber sich alsbald auf den Weg machen, um den Weisen, den Helfer aufzusuchen, so durchlief das Land jene Sage, jene duftende Sage von Gotama, dem Buddha, dem Weisen aus dem Geschlecht der Sakya. Ihm war, so sprachen die Gläubigen, höchste Erkenntnis zu eigen, er erinnerte sich seiner vormaligen Leben, er hatte Nirwana erreicht und kehrte nie mehr in den Kreislauf zurück, tauchte nie mehr in den trüben Strom der Gestaltungen unter. Vieles Herrliche und Unglaubliche wurde von ihm berichtet, er hatte Wunder getan, hatte den Teufel überwunden, hatte mit den Göttern gesprochen. Seine Feinde und Ungläubige aber sagten, dieser Gotama sei ein eitler Verführer, er bringe seine Tage in Wohlleben hin, verachte die Opfer, sei ohne Gelehrsamkeit und kenne weder Übung noch Kasteiung.
Süß klang die Sage von Buddha, Zauber duftete aus diesen Berichten. Krank war ja die Welt, schwer zu ertragen war das Leben – und siehe, hier schien eine Quelle zu springen, hier schien ein Botenruf zu tönen, trostvoll, mild, edler Versprechungen voll. Überall, wohin das Gerücht vom Buddha erscholl, überall in den Ländern Indiens horchten die Jünglinge auf, fühlten Sehnsucht, fühlten Hoffnung, und unter den Brahmanensöhnen der Städte und Dörfer war jeder Pilger und Fremdling willkommen, wenn er Kunde von ihm, dem Erhabenen, dem Sakyamuni, brachte.
Auch zu den Samanas im Walde, auch zu Siddhartha, auch zu Govinda war die Sage gedrungen, langsam, in Tropfen, jeder

Tropfen schwer von Hoffnung, jeder Tropfen schwer von Zweifel. Sie sprachen wenig davon, denn der Älteste der Samanas war kein Freund dieser Sage. Er hatte vernommen, daß jener angebliche Buddha vormals Asket gewesen und im Walde gelebt, sich dann aber zu Wohlleben und Weltlust zurückgewendet habe, und er hielt nichts von diesem Gotama.
»O Siddhartha«, sprach einst Govinda zu seinem Freunde. »Heute war ich im Dorf, und ein Brahmane lud mich ein, in sein Haus zu treten, und in seinem Hause war ein Brahmanensohn aus Magadha, dieser hat mit seinen eigenen Augen den Buddha gesehen und hat ihn lehren hören. Wahrlich, da schmerzte mich der Atem in der Brust, und ich dachte bei mir: Möchte doch auch ich, möchten doch auch wir beide, Siddhartha und ich, die Stunde erleben, da wir die Lehre aus dem Munde jenes Vollendeten vernehmen! Sprich, Freund, wollen wir nicht auch dorthin gehen und die Lehre aus dem Munde des Buddha anhören?«
Sprach Siddhartha: »Immer, o Govinda, hatte ich gedacht, Govinda würde bei den Samanas bleiben, immer hatte ich geglaubt, es wäre sein Ziel, sechzig und siebzig Jahre alt zu werden und immer weiter die Künste und Übungen zu treiben, welche den Samana zieren. Aber sieh, ich hatte Govinda zuwenig gekannt, wenig wußte ich von seinem Herzen. Nun also willst du, Teuerster, einen neuen Pfad einschlagen und dorthin gehen, wo der Buddha seine Lehre verkündet.«
Sprach Govinda: »Dir beliebt es zu spotten. Mögest du immerhin spotten, Siddhartha! Ist aber nicht auch in dir ein Verlangen, eine Lust erwacht, diese Lehre zu hören? Und hast du nicht einst zu mir gesagt, nicht lange mehr werdest du den Weg der Samanas gehen?«
Da lachte Siddhartha auf seine Weise, wobei der Ton seiner Stimme einen Schatten von Trauer und einen Schatten von Spott annahm, und sagte: »Wohl, Govinda, wohl hast du gesprochen, richtig hast du dich erinnert. Mögest du doch auch des andern dich erinnern, das du von mir gehört hast, daß ich nämlich mißtrauisch und müde gegen Lehre und Lernen ge-

worden bin, und daß mein Glaube klein ist an Worte, die von Lehrern zu uns kommen. Aber wohlan, Lieber, ich bin bereit, jene Lehre zu hören – obschon ich im Herzen glaube, daß wir die beste Frucht jener Lehre schon gekostet haben.«

Sprach Govinda: »Deine Bereitschaft erfreut mein Herz. Aber sage, wie sollte das möglich sein? Wie sollte die Lehre des Gotama, noch ehe wir sie vernommen, uns schon ihre beste Frucht erschlossen haben?«

Sprach Siddhartha: »Laß diese Frucht uns genießen und das weitere abwarten, o Govinda! Diese Frucht aber, die wir schon jetzt dem Gotama verdanken, besteht darin, daß er uns von den Samanas hinwegruft! Ob er uns noch anderes und Besseres zu geben hat, o Freund, darauf laß uns ruhigen Herzens warten.«

An diesem selben Tage gab Siddhartha dem Ältesten der Samanas seinen Entschluß zu wissen, daß er ihn verlassen wollte. Er gab ihn dem Ältesten zu wissen mit der Höflichkeit und Bescheidenheit, welche dem Jüngeren und Schüler ziemt. Der Samana aber geriet in Zorn, daß die beiden Jünglinge ihn verlassen wollten, und redete laut und brauchte grobe Schimpfworte.

Govinda erschrak und kam in Verlegenheit, Siddhartha aber neigte den Mund zu Govindas Ohr und flüsterte ihm zu: »Nun will ich dem Alten zeigen, daß ich etwas bei ihm gelernt habe.«

Indem er sich nahe vor dem Samana aufstellte, mit gesammelter Seele, fing er den Blick des Alten mit seinen Blicken ein, bannte ihn, machte ihn stumm, machte ihn willenlos, unterwarf ihn seinem Willen, befahl ihm, lautlos zu tun, was er von ihm verlangte. Der alte Mann wurde stumm, sein Auge wurde starr, sein Wille gelähmt, seine Arme hingen herab, machtlos war er Siddharthas Bezauberung erlegen. Siddharthas Gedanken aber bemächtigten sich des Samana, er mußte vollführen, was sie befahlen. Und so verneigte sich der Alte mehrmals, vollzog segnende Gebärden, sprach stammelnd einen frommen Reisewunsch. Und die Jünglinge erwiderten dankend die Verneigungen, erwiderten den Wunsch, zogen grüßend von dannen.

Unterwegs sagte Govinda: »O Siddhartha, du hast bei den Samanas mehr gelernt, als ich wußte. Es ist schwer, es ist sehr schwer, einen alten Samana zu bezaubern. Wahrlich, wärest du dort geblieben, du hättest bald gelernt, auf dem Wasser zu gehen.«

»Ich begehre nicht, auf dem Wasser zu gehen«, sagte Siddhartha. »Mögen alte Samanas mit solchen Künsten sich zufriedengeben!«

Gotama

In der Stadt Savathi kannte jedes Kind den Namen des Erhabenen Buddha, und jedes Haus war gerüstet, den Jüngern Gotamas, den schweigend Bittenden, die Almosenschale zu füllen. Nahe bei der Stadt lag Gotamas liebster Aufenthalt, der Hain Jetavana, welchen der reiche Kaufherr Anathapindika, ein ergebener Verehrer des Erhabenen, ihm und den Seinen zum Geschenk gemacht hatte.
Nach dieser Gegend hatten alle Erzählungen und Antworten hingewiesen, welche den beiden jungen Asketen auf der Suche nach Gotamas Aufenthalt zuteil wurden. Und da sie in Savathi ankamen, ward ihnen gleich im ersten Hause, vor dessen Tür sie bittend stehenblieben, Speise angeboten, und sie nahmen Speise an, und Siddhartha fragte die Frau, welche ihnen die Speise reichte:
»Gerne, du Mildtätige, gerne möchten wir erfahren, wo der Buddha weilt, der Ehrwürdigste, denn wir sind zwei Samanas aus dem Walde und sind gekommen, um ihn, den Vollendeten, zu sehen und die Lehre aus seinem Munde zu vernehmen.«
Sprach die Frau: »Am richtigen Orte wahrlich seid ihr hier abgestiegen, ihr Samanas aus dem Walde. Wisset, in Jetavana, im Garten Anathapindikas, weilt der Erhabene. Dort möget ihr, Pilger, die Nacht verbringen, denn genug Raum ist daselbst für die Unzähligen, die herbeiströmen, um aus seinem Munde die Lehre zu hören.«
Da freute sich Govinda, und voll Freude rief er: »Wohl denn, so ist unser Ziel erreicht und unser Weg zu Ende! Aber sage uns, du Mutter der Pilgernden, kennst du ihn, den Buddha, hast du ihn mit deinen Augen gesehen?«
Sprach die Frau: »Viele Male habe ich ihn gesehen, den Erhabenen. An vielen Tagen habe ich ihn gesehen, wie er durch die Gassen geht, schweigend, im gelben Mantel, wie er

schweigend an den Haustüren seine Almosenschale darreicht, wie er die gefüllte Schale von dannen trägt.«
Entzückt lauschte Govinda und wollte noch vieles fragen und hören. Aber Siddhartha mahnte zum Weitergehen. Sie sagten Dank und gingen und brauchten kaum nach dem Wege zu fragen, denn nicht wenige Pilger und Mönche aus Gotamas Gemeinschaft waren nach dem Jetavana unterwegs. Und da sie in der Nacht dort anlangten, war daselbst ein beständiges Ankommen, Rufen und Reden von solchen, welche Herberge heischten und bekamen. Die beiden Samanas, des Lebens im Walde gewohnt, fanden schnell und geräuschlos einen Unterschlupf und ruhten da bis zum Morgen.
Beim Aufgang der Sonne sahen sie mit Erstaunen, welch große Schar, Gläubige und Neugierige, hier genächtigt hatte. In allen Wegen des herrlichen Haines wandelten Mönche im gelben Gewand, unter den Bäumen saßen sie hier und dort, in Betrachtung versenkt oder im geistlichen Gespräch, wie eine Stadt waren die schattigen Gärten zu sehen, voll von Menschen wimmelnd wie Bienen. Die Mehrzahl der Mönche zog mit der Almosenschale aus, um in der Stadt Nahrung für die Mittagsmahlzeit, die einzige des Tages, zu sammeln. Auch der Buddha selbst, der Erleuchtete, pflegte am Morgen den Bettelgang zu tun.
Siddhartha sah ihn, und er erkannte ihn alsbald, als hätte ihm ein Gott ihn gezeigt. Er sah ihn, einen schlichten Mann in gelber Kutte, die Almosenschale in der Hand tragend, still dahin gehen.
»Sieh hier!« sagte Siddhartha leise zu Govinda. »Dieser hier ist der Buddha.«
Aufmerksam blickte Govinda den Mönch in der gelben Kutte an, der sich in nichts von den Hunderten der Mönche zu unterscheiden schien. Und bald erkannte auch Govinda: Dieser ist es. Und sie folgten ihm nach und betrachteten ihn.
Der Buddha ging seines Weges bescheiden und in Gedanken versunken, sein stilles Gesicht war weder fröhlich noch traurig, es schien leise nach innen zu lächeln. Mit einem verborge-

nen Lächeln, still, ruhig, einem gesunden Kinde nicht unähnlich, wandelte der Buddha, trug das Gewand und setzte den Fuß gleich wie alle seine Mönche, nach genauer Vorschrift. Aber sein Gesicht und sein Schritt, sein still gesenkter Blick, seine still herabhängende Hand, und noch jeder Finger an seiner still herabhängenden Hand sprach Friede, sprach Vollkommenheit, suchte nicht, ahmte nicht nach, atmete sanft in einer unverwelklichen Ruhe, in einem unverwelklichen Licht, einem unantastbaren Frieden.

So wandelte Gotama der Stadt entgegen, um Almosen zu sammeln, und die beiden Samanas erkannten ihn einzig an der Vollkommenheit seiner Ruhe, an der Stille seiner Gestalt, in welcher kein Suchen, kein Wollen, kein Nachahmen, kein Bemühen zu erkennen war, nur Licht und Frieden.

»Heute werden wir die Lehre aus seinem Munde vernehmen«, sagte Govinda.

Siddhartha gab nicht Antwort. Er war wenig neugierig auf die Lehre, er glaubte nicht, daß sie ihn Neues lehren werde, hatte er doch, ebenso wie Govinda, wieder und wieder den Inhalt dieser Buddhalehre vernommen, wenn schon aus Berichten von zweiter und dritter Hand. Aber er blickte aufmerksam auf Gotamas Haupt, auf seine Schultern, auf seine Füße, auf seine still herabhängende Hand, und ihm schien, jedes Glied an jedem Finger dieser Hand war Lehre, sprach, atmete, duftete, glänzte Wahrheit. Dieser Mann, dieser Buddha, war wahrhaftig bis in die Gebärde seines letzten Fingers. Dieser Mann war heilig. Nie hatte Siddhartha einen Menschen so verehrt, nie hatte er einen Menschen so geliebt wie diesen.

Die beiden folgten dem Buddha bis zur Stadt und kehrten schweigend zurück, denn sie selbst gedachten diesen Tag sich der Speise zu enthalten. Sie sahen Gotama wiederkehren, sahen ihn im Kreise seiner Jünger die Mahlzeit einnehmen – was er aß, hätte keinen Vogel satt gemacht – und sahen ihn sich zurückziehen in den Schatten der Mangobäume.

Am Abend aber, als die Hitze sich legte und alles im Lager lebendig ward und sich versammelte, hörten sie den Buddha lehren. Sie hörten seine Stimme, und auch sie war vollkommen, war von vollkommener Ruhe, war voll von Frieden. Gotama lehrte die Lehre vom Leiden, von der Herkunft des Leidens, vom Weg zur Aufhebung des Leidens. Ruhig und klar floß seine stille Rede. Leiden war das Leben, voll Leid war die Welt, aber Erlösung vom Leid war gefunden: Erlösung fand, wer den Weg des Buddha ging.

Mit sanfter, doch fester Stimme sprach der Erhabene, lehrte die vier Hauptsätze, lehrte den achtfachen Pfad, geduldig ging er den gewohnten Weg der Lehre, der Beispiele, der Wiederholungen, hell und still schwebte seine Stimme über den Hörenden, wie ein Licht, wie ein Sternhimmel.

Als der Buddha – es war schon Nacht geworden – seine Rede schloß, traten manche Pilger hervor und baten um Aufnahme in die Gemeinschaft, nahmen ihre Zuflucht zur Lehre. Und Gotama nahm sie auf, indem er sprach: »Wohl habt ihr die Lehre vernommen, wohl ist sie verkündigt. Tretet denn herzu und wandelt in Heiligkeit, allem Leid ein Ende zu bereiten."

Siehe, da trat auch Govinda hervor, der Schüchterne, und sprach: »Auch ich nehme meine Zuflucht zum Erhabenen und zu seiner Lehre«, und bat um Aufnahme in die Jüngerschaft, und ward aufgenommen.

Gleich darauf, da sich der Buddha zur Nachtruhe zurückgezogen hatte, wendete sich Govinda zu Siddhartha und sprach eifrig: »Siddhartha, nicht steht es mir zu, dir einen Vorwurf zu machen. Beide haben wir den Erhabenen gehört, beide haben wir die Lehre vernommen. Govinda hat die Lehre gehört, er hat seine Zuflucht zu ihr genommen. Du aber, Verehrter, willst denn nicht auch du den Pfad der Erlösung gehen? Willst du zögern, willst du noch warten?«

Siddhartha erwachte wie aus einem Schlafe, als er Govindas Worte vernahm. Lange blickte er in Govindas Gesicht. Dann sprach er leise, mit einer Stimme ohne Spott: »Govinda, mein Freund, nun hast du den Schritt getan, nun hast du den Weg erwählt. Immer, o Govinda, bist du mein Freund gewesen, immer bist du einen Schritt hinter mir gegangen. Oft habe ich gedacht: Wird Govinda nicht auch einmal einen Schritt allein tun, ohne mich, aus der eigenen Seele? Siehe, nun bist du ein Mann geworden und wählst selber deinen Weg. Mögest du ihn zu Ende gehen, o mein Freund! Mögest du Erlösung finden!«

Govinda, welcher noch nicht völlig verstand, wiederholte mit einem Ton von Ungeduld seine Frage: »Sprich doch, ich bitte dich, mein Lieber! Sage mir, wie es ja nicht anders sein kann, daß auch du, mein gelehrter Freund, deine Zuflucht zum erhabenen Buddha nehmen wirst!«

Siddhartha legte seine Hand auf die Schulter Govindas: »Du hast meinen Segenswunsch überhört, o Govinda. Ich wiederhole ihn: Mögest du diesen Weg zu Ende gehen! Mögest du Erlösung finden!«

In diesem Augenblick erkannte Govinda, daß sein Freund ihn verlassen habe, und er begann zu weinen.

»Siddhartha!« rief er klagend.

Siddhartha sprach freundlich zu ihm: »Vergiß nicht, Govinda, daß du nun zu den Samanas des Buddhas gehörst! Abgesagt hast du Heimat und Eltern, abgesagt Herkunft und Eigentum, abgesagt deinem eigenen Willen, abgesagt der Freundschaft. So will es die Lehre, so will es der Erhabene. So hast du selbst es gewollt. Morgen, o Govinda, werde ich dich verlassen.«

Lange noch wandelten die Freunde im Gehölz, lange lagen sie und fanden nicht den Schlaf. Und immer von neuem drang Govinda in seinen Freund, er möge ihm sagen, warum er nicht seine Zuflucht zu Gotamas Lehre nehmen wolle, welchen Fehler denn er in dieser Lehre finde. Siddhartha aber wies ihn jedesmal zurück und sagte: »Gib dich zufrieden, Govinda! Sehr gut ist des Erhabenen Lehre, wie sollte ich einen Fehler an ihr finden?«

Am frühesten Morgen ging ein Nachfolger Buddhas, einer seiner ältesten Mönche, durch den Garten und rief alle jene zu sich, welche als Neulinge ihre Zuflucht zur Lehre genommen hatten, um ihnen das gelbe Gewand anzulegen und sie in den ersten Lehren und Pflichten ihres Standes zu unterweisen.

Da riß Govinda sich los, umarmte noch einmal den Freund seiner Jugend und schloß sich dem Zuge der Novizen an. Siddhartha aber wandelte in Gedanken durch den Hain.
Da begegnete ihm Gotama, der Erhabene, und als er ihn mit Ehrfurcht begrüßte und der Blick des Buddhas so voll Güte und Stille war, faßte der Jüngling Mut und bat den Ehrwürdigen um Erlaubnis, zu ihm zu sprechen. Schweigend nickte der Erhabene Gewährung.
Sprach Siddhartha: »Gestern, o Erhabener, war es mir vergönnt, deine wundersame Lehre zu hören. Zusammen mit meinem Freund kam ich aus der Ferne her, um die Lehre zu hören. Und nun wird mein Freund bei den Deinen bleiben, zu dir hat er seine Zuflucht genommen. Ich aber trete meine Pilgerschaft aufs neue an.«
»Wie es dir beliebt«, sprach der Ehrwürdige höflich.
»Allzu kühn ist meine Rede«, fuhr Siddhartha fort, »aber ich möchte den Erhabenen nicht verlassen, ohne ihm meine Gedanken in Aufrichtigkeit mitgeteilt zu haben. Will mir der Ehrwürdige noch einen Augenblick Gehör schenken?«
Schweigend nickte der Buddha Gewährung.
Sprach Siddhartha: »Eines, o Ehrwürdigster, habe ich an deiner Lehre vor allem bewundert. Alles in deiner Lehre ist vollkommen klar, ist bewiesen; als eine vollkommene, als eine nie und nirgends unterbrochene Kette zeigst du die Welt als eine ewige Kette, gefügt aus Ursachen und Wirkungen. Niemals ist dies so klar gesehen, nie so unwiderleglich dargestellt worden; höher wahrlich muß jedem Brahmanen das Herz im Leibe schlagen, wenn er, durch deine Lehre hindurch, die Welt erblickt als vollkommenen Zusammenhang, lückenlos, klar wie ein Kristall, nicht vom Zufall abhängig, nicht von Göttern abhängig. Ob sie gut oder böse, ob das Leben in ihr Leid oder Freude sei, möge dahingestellt bleiben, es mag vielleicht sein, daß dies nicht wesentlich ist – aber die Einheit der Welt, der Zusammenhang alles Geschehens, das Umschlossensein alles Großen und Kleinen vom selben Strome, vom selben Gesetz der Ursachen, des Werdens und des Sterbens, dies leuchtet

hell aus deiner erhabenen Lehre, o Vollendeter. Nun aber ist, deiner selben Lehre nach, diese Einheit und Folgerichtigkeit aller Dinge dennoch an einer Stelle unterbrochen, durch eine kleine Lücke strömt in diese Welt der Einheit etwas Fremdes, etwas Neues, etwas, das vorher nicht war, und das nicht gezeigt und nicht bewiesen werden kann: das ist deine Lehre von der Überwindung der Welt, von der Erlösung. Mit dieser kleinen Lücke, mit dieser kleinen Durchbrechung aber ist das ganze ewige und einheitliche Weltgesetz wieder zerbrochen und aufgehoben. Mögest du mir verzeihen, wenn ich diesen Einwand ausspreche.«

Still hatte Gotama ihm zugehört, unbewegt. Mit seiner gütigen, mit seiner höflichen und klaren Stimme sprach er nun, der Vollendete: »Du hast die Lehre gehört, o Brahmanensohn, und wohl dir, daß du über sie so tief nachgedacht hast. Du hast eine Lücke in ihr gefunden, einen Fehler. Mögest du weiter darüber nachdenken. Laß dich aber warnen, du Wißbegieriger, vor dem Dickicht der Meinungen und vor dem Streit um Worte. Es ist an Meinungen nichts gelegen, sie mögen schön oder häßlich, klug oder töricht sein, jeder kann ihnen anhängen oder sie verwerfen. Die Lehre aber, die du von mir gehört hast, ist nicht meine Meinung, und ihr Ziel ist nicht, die Welt für Wißbegierige zu erklären. Ihr Ziel ist ein anderes; ihr Ziel ist Erlösung vom Leiden. Diese ist es, welche Gotama lehrt, nichts anderes.«

»Mögest du mir, o Erhabener, nicht zürnen«, sagte der Jüngling. »Nicht um Streit mit dir zu suchen, Streit um Worte, habe ich so zu dir gesprochen. Du hast wahrlich recht, wenig ist an Meinungen gelegen. Aber laß mich dies eine noch sagen: Nicht einen Augenblick habe ich an dir gezweifelt. Ich habe nicht einen Augenblick gezweifelt, daß du Buddha bist, daß du das Ziel erreicht hast, das höchste, nach welchem so viel tausend Brahmanen und Brahmanensöhne unterwegs sind. Du hast die Erlösung vom Tode gefunden. Sie ist dir geworden aus deinem eigenen Suchen, auf deinem eigenen Wege, durch Gedanken, durch Versenkung, durch Erkenntnis, durch Erleuchtung. Nicht ist sie dir geworden durch Lehre! Und – so ist mein Gedanke, o Erhabener – keinem wird Erlösung zuteil durch Lehre! Keinem, o Ehrwürdiger, wirst du in Worten und durch Lehre mitteilen und sagen können, was dir geschehen ist in der Stunde deiner Erleuchtung! Vieles enthält die Lehre des erleuchteten Buddha, viele lehrt sie, rechtschaffen zu leben, Böses zu meiden. Eines aber enthält die so klare, die so ehrwürdige Lehre nicht: sie enthält nicht das Geheimnis dessen, was der Erhabene selbst erlebt hat, er allein unter den Hunderttausenden. Dies ist es, was ich gedacht und erkannt habe, als ich die Lehre hörte. Dies ist es, weswegen ich meine Wanderschaft fortsetze – nicht um eine andere, eine bessere Lehre zu suchen, denn ich weiß, es gibt keine, sondern um alle Lehren und alle Lehrer zu verlassen und allein mein Ziel zu erreichen oder zu sterben. Oftmals aber werde ich dieses Tages gedenken, o Erhabener, und dieser Stunde, da meine Augen einen Heiligen sahen.«

Die Augen des Buddha blickten still zu Boden, still in vollkommenem Gleichmut strahlte sein unerforschliches Gesicht.

»Mögen deine Gedanken«, sprach der Ehrwürdige langsam, »keine Irrtümer sein! Mögest du ans Ziel kommen! Aber sage mir: Hast du die Schar meiner Samanas gesehen, meiner vielen Brüder, welche ihre Zuflucht zur Lehre genommen haben? Und glaubst du, fremder Samana, glaubst du, daß es diesen allen besser wäre, die Lehre zu verlassen und in das Leben der Welt und der Lüste zurückzukehren?«

»Fern ist ein solcher Gedanke von mir«, rief Siddhartha. »Mögen sie alle bei der Lehre bleiben, mögen sie ihr Ziel erreichen! Nicht steht mir zu, über eines andern Leben zu urteilen! Einzig für mich, für mich allein muß ich urteilen, muß ich wählen, muß ich ablehnen. Erlösung vom Ich suchen wir Samanas, o Erhabener. Wäre ich nun einer deiner Jünger, o Ehrwürdiger, so fürchte ich, es möchte mir geschehen, daß nur scheinbar, nur trügerisch mein Ich zur Ruhe käme und erlöst würde, daß es aber in Wahrheit weiterlebte und groß würde, denn ich hätte dann die Lehre, hätte meine Nachfolge, hätte meine Liebe zu dir, hätte die Gemeinschaft der Mönche zu meinem Ich gemacht!«

Mit halbem Lächeln, mit einer unerschütterten Helle und Freundlichkeit sah Gotama dem Fremdling ins Auge und verabschiedete ihn mit einer kaum sichtbaren Gebärde.

»Klug bist du, o Samana«, sprach der Ehrwürdige. »Klug weißt du zu reden, mein Freund. Hüte dich vor allzu großer Klugheit!«

Hinweg wandelte der Buddha, und sein Blick und halbes Lächeln blieb für immer in Siddharthas Gedächtnis eingegraben.

»So habe ich noch keinen Menschen blicken und lächeln, sitzen und schreiten sehen«, dachte er, »so wahrlich wünsche auch ich blicken und lächeln, sitzen und schreiten zu können, so frei, so ehrwürdig, so verborgen, so offen, so kindlich und geheimnisvoll. So wahrlich blickt und schreitet nur der Mensch, der ins Innerste seines Selbst gedrungen ist. Wohl, auch ich werde ins Innerste meines Selbst zu dringen suchen.«

»Einen Menschen sah ich«, dachte Siddhartha, »einen einzigen, vor dem ich meine Augen niederschlagen mußte. Vor keinem andern mehr will ich meine Augen niederschlagen, vor keinem mehr. Keine Lehre mehr wird mich verlocken, da dieses Menschen Lehre mich nicht verlockt hat.«

»Beraubt hat mich der Buddha«, dachte Siddhartha, »beraubt hat er mich, und mehr noch hat er mich beschenkt. Beraubt hat er mich meines Freundes, dessen, der an mich glaubte und der nun an ihn glaubt, der mein Schatten war und nun Gotamas Schatten ist. Geschenkt aber hat er mir Siddhartha, mich selbst.«

Erwachen

Als Siddhartha den Hain verließ, in welchem der Buddha, der Vollendete, zurückblieb, in welchem Govinda zurückblieb, da fühlte er, daß in diesem Hain auch sein bisheriges Leben hinter ihm zurückblieb und sich von ihm trennte. Dieser Empfindung, die ihn ganz erfüllte, sann er im langsamen Dahingehen nach. Tief sann er nach, wie durch ein tiefes Wasser ließ er sich bis auf den Boden dieser Empfindung hinab, bis dahin, wo die Ursachen ruhen, denn Ursachen erkennen, so schien ihm, das eben ist Denken, und dadurch allein werden Empfindungen zu Erkenntnissen und gehen nicht verloren, sondern werden wesenhaft und beginnen auszustrahlen, was in ihnen ist.

Im langsamen Dahingehen dachte Siddhartha nach. Er stellte fest, daß er kein Jüngling mehr, sondern ein Mann geworden sei. Er stellte fest, daß eines ihn verlassen hatte, wie die Schlange von ihrer alten Haut verlassen wird, daß eines nicht mehr in ihm vorhanden war, das durch seine ganze Jugend ihn begleitet und zu ihm gehört hatte: der Wunsch, Lehrer zu haben und Lehren zu hören. Den letzten Lehrer, der an seinem Wege ihm erschienen war, auch ihn, den höchsten und weisesten Lehrer, den Heiligsten, Buddha, hatte er verlassen, hatte sich von ihm trennen müssen, hatte seine Lehre nicht annehmen können.

Langsamer ging der Denkende dahin und fragte sich selbst: »Was nun ist es aber, das du aus Lehren und von Lehrern hattest lernen wollen, und was sie, die dich viel gelehrt haben, dich doch nicht lehren konnten?« Und er fand: »Das Ich war es, dessen Sinn und Wesen ich lernen wollte. Das Ich war es, von dem ich loskommen, das ich überwinden wollte. Ich konnte es aber nicht überwinden, konnte es nur täuschen, konnte nur vor ihm fliehen, mich nur vor ihm verstecken. Wahrlich, kein Ding in der Welt hat so viel meine Gedanken

beschäftigt wie dieses mein Ich, dies Rätsel, daß ich lebe, daß ich einer und von allen andern getrennt und abgesondert bin, daß ich Siddhartha bin! Und über kein Ding in der Welt weiß ich weniger als über mich, über Siddhartha!«
Der im langsamen Dahingehen Denkende blieb stehen, von diesem Gedanken erfaßt, und alsbald sprang aus diesem Gedanken ein anderer hervor, ein neuer Gedanke, der lautete: »Daß ich nichts von mir weiß, daß Siddhartha mir so fremd und unbekannt geblieben ist, das kommt aus einer Ursache, einer einzigen: Ich hatte Angst vor mir, ich war auf der Flucht vor mir! Atman suchte ich, Brahman suchte ich, ich war gewillt, mein Ich zu zerstücken und auseinanderzuschälen, um in seinem unbekannten Innersten den Kern aller Schalen zu finden, den Atman, das Leben, das Göttliche, das Letzte. Ich selbst aber ging mir dabei verloren.«
Siddhartha schlug die Augen auf und sah um sich, ein Lächeln erfüllte sein Gesicht, und ein tiefes Gefühl von Erwachen aus langen Träumen durchströmte ihn bis in die Zehen. Und alsbald lief er wieder, lief rasch, wie ein Mann, welcher weiß, was er zu tun hat.
»Oh«, dachte er aufatmend mit tiefem Atemzug, »nun will ich mir den Siddhartha nicht mehr entschlüpfen lassen! Nicht mehr will ich mein Denken und mein Leben beginnen mit Atman und mit dem Leid der Welt. Ich will mich nicht mehr töten und zerstücken, um hinter den Trümmern ein Geheimnis zu finden. Nicht Yoga-Veda mehr soll mich lehren, noch Atharva-Veda, noch die Asketen, noch irgendwelche Lehre. Bei mir selbst will ich lernen, will ich Schüler sein, will ich mich kennenlernen, das Geheimnis Siddhartha.«
Er blickte um sich, als sähe er zum ersten Male die Welt. Schön war die Welt, bunt war die Welt, seltsam und rätselhaft war die Welt! Hier war Blau, hier war Gelb, hier war Grün, Himmel floß und Fluß, Wald starrte und Gebirg, alles schön, alles rätselvoll und magisch, und inmitten er, Siddhartha, der Erwachende, auf dem Wege zu sich selbst. All dieses, all dies Gelb und Blau, Fluß und Wald, ging zum erstenmal durchs

Auge in Siddhartha ein, war nicht mehr Zauber Maras, war nicht mehr der Schleier der Maja, war nicht mehr sinnlose und zufällige Vielfalt der Erscheinungswelt, verächtlich dem tiefdenkenden Brahmanen, der die Vielfalt verschmäht, der die Einheit sucht. Blau war Blau, Fluß war Fluß, und wenn auch im Blau und Fluß in Siddhartha das Eine und Göttliche verborgen lebte, so war es doch eben des Göttlichen Art und Sinn, hier Gelb, hier Blau, dort Himmel, dort Wald und hier Siddhartha zu sein. Sinn und Wesen waren nicht irgendwo hinter den Dingen, sie waren in ihnen, in allem.

»Wie bin ich taub und stumpf gewesen!« dachte der rasch Dahinwandelnde. »Wenn einer eine Schrift liest, deren Sinn er suchen will, so verachtet er nicht die Zeichen und Buchstaben und nennt sie Täuschung, Zufall und wertlose Schale, sondern er liest sie, er studiert und liebt sie, Buchstabe um Buchstabe. Ich aber, der ich das Buch der Welt und das Buch meines eigenen Wesens lesen wollte, ich habe, einem im voraus vermuteten Sinn zuliebe, die Zeichen und Buchstaben verachtet, ich nannte die Welt der Erscheinungen Täuschung, nannte mein Auge und meine Zunge zufällige und wertlose Erscheinungen. Nein, dies ist vorüber, ich bin erwacht, ich bin in der Tat erwacht und heute erst geboren.«

Indem Siddhartha diesen Gedanken dachte, blieb er abermals stehen, plötzlich, als läge eine Schlange vor ihm auf dem Weg.

Denn plötzlich war auch dies ihm klargeworden: Er, der in der Tat wie ein Erwachter oder Neugeborener war, er mußte sein Leben neu und völlig von vorn beginnen. Als er an diesem selben Morgen den Hain Jetavana, den Hain jenes Erhabenen, verlassen hatte, schon erwachend, schon auf dem Wege zu sich selbst, da war es seine Absicht gewesen und war ihm natürlich und selbstverständlich erschienen, daß er, nach den Jahren seines Asketentums, in seine Heimat und zu seinem Vater zurückkehre. Jetzt aber, erst in diesem Augenblick, da er stehenblieb, als läge eine Schlange auf seinem Wege, erwachte er auch zu dieser Einsicht: »Ich bin ja nicht mehr, der ich war, ich bin nicht mehr Asket, ich bin nicht mehr Priester, ich bin nicht mehr Brahmane. Was denn soll ich zu Hause und bei meinem Vater tun? Studieren? Opfern? Die Versenkung pflegen? Dies alles ist ja vorüber, dies alles liegt nicht mehr an meinem Wege.«

Regungslos blieb Siddhartha stehen, und einen Augenblick und Atemzug lang fror sein Herz, er fühlte es in der Brust innen frieren wie ein kleines Tier, einen Vogel oder einen Hasen, als er sah, wie allein er sei. Jahrelang war er heimatlos gewesen und hatte es nicht gefühlt. Nun fühlte er es. Immer noch, auch in der fernsten Versenkung, war er seines Vaters Sohn gewesen, war Brahmane gewesen, hohen Standes, ein Geistiger. Jetzt war er nur noch Siddhartha, der Erwachte, sonst nichts mehr. Tief sog er den Atem ein, und einen Augenblick fror er und schauderte. Niemand war so allein wie er. Kein Adliger, der nicht zu den Adligen, kein Handwerker, der nicht zu den Handwerkern gehörte und Zuflucht bei ihnen fand, ihr Leben teilte, ihre Sprache sprach. Kein Brahmane, der nicht zu den Brahmanen zählte und mit ihnen lebte, kein Asket, der nicht im Stande der Samanas seine Zuflucht fand, und auch der verlorenste Einsiedler im Walde war nicht einer und allein, auch ihn umgab Zugehörigkeit, auch er gehörte einem Stande an, der ihm Heimat war. Govinda war Mönch geworden, und tausend Mönche waren seine Brüder, trugen sein Kleid, glaubten seinen Glauben, sprachen seine Sprache. Er aber, Siddhartha, wo war er zugehörig? Wessen Leben würde er teilen? Wessen Sprache würde er sprechen?

Aus diesem Augenblick, wo die Welt rings von ihm wegschmolz, wo er allein stand wie ein Stern am Himmel, aus diesem Augenblick einer Kälte und Verzagtheit tauchte Siddhartha empor, mehr Ich als zuvor, fester geballt. Er fühlte: Dies war der letzte Schauder des Erwachens gewesen, der letzte Krampf der Geburt. Und alsbald schritt er wieder aus, begann rasch und ungeduldig zu gehen, nicht mehr nach Hause, nicht mehr zum Vater, nicht mehr zurück.

Zweiter Teil

Wilhelm Gundert
meinem Vetter in Japan
gewidmet

Kamala

Siddhartha lernte Neues auf jedem Schritt seines Weges, denn die Welt war verwandelt, und sein Herz war bezaubert. Er sah die Sonne überm Waldgebirge aufgehen und überm fernen Palmenstrande untergehen. Er sah nachts am Himmel die Sterne geordnet, und den Sichelmond wie ein Boot im Blauen schwimmend. Er sah Bäume, Sterne, Tiere, Wolken, Regenbogen, Felsen, Kräuter, Blumen, Bach und Fluß, Taublitz im morgendlichen Gesträuch, ferne hohe Berge blau und bleich, Vögel sangen und Bienen, Wind wehte silbern im Reisfelde. Dies alles, tausendfalt und bunt, war immer dagewesen, immer hatten Sonne und Mond geschienen, immer Flüsse gerauscht und Bienen gesummt, aber es war in den früheren Zeiten für Siddhartha dies alles nichts gewesen als ein flüchtiger und trügerischer Schleier vor seinem Auge, mit Mißtrauen betrachtet, dazu bestimmt, vom Gedanken durchdrungen und vernichtet zu werden, da es nicht Wesen war, da das Wesen jenseits der Sichtbarkeit lag. Nun aber weilte sein befreites Auge diesseits, es sah und erkannte die Sichtbarkeit, suchte Heimat in dieser Welt, suchte nicht das Wesen, zielte in kein Jenseits. Schön war die Welt, wenn man sie so betrachtete, so ohne Suchen, so einfach, so kinderhaft. Schön war Mond und Gestirn, schön war Bach und Ufer, Wald und Fels, Ziege und Goldkäfer, Blume und Schmetterling. Schön und lieblich war es, so durch die Welt zu gehen, so kindlich, so erwacht, so dem Nahen aufgetan, so ohne Mißtrauen. Anders brannte die Sonne aufs Haupt, anders kühlte der Waldschatten, anders schmeckte Bach und Zisterne, anders Kürbis und Banane. Kurz waren die Tage, kurz die Nächte, jede Stunde floh schnell hinweg wie ein Segel auf dem Meere, unterm Segel ein Schiff voll von Schätzen, voll von Freuden. Siddhartha sah ein Affenvolk im hohen Waldgewölbe wandern, hoch im Geäst, und hörte einen wilden, gierigen Gesang. Siddhartha sah einen Schafbock ein

Schaf verfolgen und begatten. Er sah in einem Schilfsee den Hecht im Abendhunger jagen, vor ihm her schnellten angstvoll, flatternd und blitzend die jungen Fische in Scharen aus dem Wasser, Kraft und Leidenschaft duftete dringlich aus den hastigen Wasserwirbeln, die der ungestüm Jagende zog.

All dieses war immer gewesen, und er hatte es nicht gesehen; er war nicht dabeigewesen. Jetzt war er dabei, er gehörte dazu. Durch sein Auge lief Licht und Schatten, durch sein Herz lief Stern und Mond.

Siddhartha erinnerte sich unterwegs auch alles dessen, was er im Garten Jetavana erlebt hatte, der Lehre, die er dort gehört, des göttlichen Buddhas, des Abschiedes von Govinda, des Gespräches mit dem Erhabenen. Seiner eigenen Worte, die er zum Erhabenen gesprochen hatte, erinnerte er sich wieder, jedes Wortes, und mit Erstaunen wurde er dessen inne, daß er da Dinge gesagt hatte, die er damals noch gar nicht eigentlich wußte. Was er zu Gotama gesagt hatte: sein, des Buddhas, Schatz und Geheimnis sei nicht die Lehre, sondern das Unaussprechliche und nicht Lehrbare, das er einst zur Stunde seiner Erleuchtung erlebt habe – dies war es ja eben, was zu erleben er jetzt auszog, was zu erleben er jetzt begann. Sich selbst mußte er jetzt erleben. Wohl hatte er schon lange gewußt, daß sein Selbst Atman sei, vom selben ewigen Wesen wie Brahman. Aber nie hatte er dies Selbst wirklich gefunden, weil er es mit dem Netz des Gedankens hatte fangen wollen. War auch gewiß der Körper nicht das Selbst, und nicht das Spiel der Sinne, so war es doch auch das Denken nicht, nicht der Verstand, nicht die erlernte Weisheit, nicht die erlernte Kunst, Schlüsse zu ziehen und aus schon Gedachtem neue Gedanken zu spinnen. Nein, auch diese Gedankenwelt war noch diesseits, und es führte zu keinem Ziele, wenn man das zufällige Ich der Sinne tötete, dafür aber das zufällige Ich der Gedanken und Gelehrsamkeiten mästete. Beide, die Gedanken wie die Sinne, waren hübsche Dinge, hinter beiden lag der letzte Sinn verborgen, beide galt es zu hören, mit beiden zu spielen, beide weder zu verachten noch zu überschätzen, aus beiden die geheimen Stimmen des Innersten zu erlauschen. Nach nichts wollte er trachten, als wonach die Stimme ihm zu trachten beföhle, bei nichts verweilen, als wo die Stimme es riete. Warum war Gotama einst, in der Stunde der Stunden, unter dem Bo-Baume niedergesessen, wo die Erleuchtung ihn traf? Er hatte eine Stimme gehört, eine Stimme im eigenen Herzen, die ihm befahl, unter diesem Baume Rast zu suchen, und er hatte nicht Kasteiung, Opfer, Bad oder Gebet, nicht Essen noch Trinken, nicht Schlaf noch Traum vorgezogen, er hatte der Stimme gehorcht. So zu gehorchen, nicht äußerm Befehl, nur der Stimme, so bereit zu sein, das war gut, das war notwendig, nichts anderes war notwendig.

In der Nacht, da er in der strohernen Hütte eines Fährmannes am Flusse schlief, hatte Siddhartha einen Traum: Govinda stand vor ihm, in einem gelben Asketengewand. Traurig sah Govinda aus, traurig fragte er: »Warum hast du mich verlassen?« Da umarmte er Govinda, schlang seine Arme um ihn, und indem er ihn an seine Brust zog und küßte, war es nicht Govinda mehr, sondern ein Weib, und aus des Weibes Gewand quoll eine volle Brust, an der lag Siddhartha und trank, süß und stark schmeckte die Milch dieser Brust. Sie schmeckte nach Weib und Mann, nach Sonne und Wald, nach Tier und Blume, nach jeder Frucht, nach jeder Lust. Sie machte trunken und bewußtlos. – Als Siddhartha erwachte, schimmerte der bleiche Fluß durch die Tür der Hütte, und im Walde klang tief und wohllaut ein dunkler Eulenruf.

Als der Tag begann, bat Siddhartha seinen Gastgeber, den Fährmann, ihn über den Fluß zu setzen. Der Fährmann setzte ihn auf seinem Bambusfloß über den Fluß, rötlich schimmerte im Morgenschein das breite Wasser.

»Das ist ein schöner Fluß«, sagte er zu seinem Begleiter.

»Ja«, sagte der Fährmann, »ein sehr schöner Fluß, ich liebe ihn über alles. Oft habe ich ihm zugehört, oft in seine Augen gesehen, und immer habe ich von ihm gelernt. Man kann viel von einem Flusse lernen.«

»Ich danke dir, mein Wohltäter«, sprach Siddhartha, da er ans andere Ufer stieg. »Kein Gastgeschenk habe ich dir zu geben, Lieber, und keinen Lohn zu geben. Ein Heimatloser bin ich, ein Brahmanensohn und Samana.«
»Ich sah es wohl«, sprach der Fährmann, »und ich habe keinen Lohn von dir erwartet, und kein Gastgeschenk. Du wirst mir das Geschenk ein anderes Mal geben.«
»Glaubst du?« sagte Siddhartha lustig.
»Gewiß. Auch das habe ich vom Flusse gelernt: alles kommt wieder! Auch du, Samana, wirst wiederkommen. Nun lebe wohl! Möge deine Freundschaft mein Lohn sein. Mögest du meiner gedenken, wenn du den Göttern opferst.«
Lächelnd schieden sie voneinander. Lächelnd freute sich Siddhartha über die Freundschaft und Freundlichkeit des Fährmanns. »Wie Govinda ist er«, dachte er lächelnd, »alle, die ich auf meinem Wege antreffe, sind wie Govinda. Alle sind dankbar, obwohl sie selbst Anspruch auf Dank hätten. Alle sind unterwürfig, alle mögen gern Freund sein, gern gehorchen, wenig denken. Kinder sind die Menschen.«
Um die Mittagszeit kam er durch ein Dorf. Vor den Lehmhütten wälzten sich Kinder auf der Gasse, spielten mit Kürbiskernen und Muscheln, schrien und balgten sich, flohen aber alle scheu vor dem fremden Samana. Am Ende des Dorfes führte der Weg durch einen Bach, und am Rande des Baches kniete ein junges Weib und wusch Kleider. Als Siddhartha sie grüßte, hob sie den Kopf und blickte mit Lächeln zu ihm auf, daß er das Weiße in ihrem Auge blitzen sah. Er rief einen Segensspruch hinüber, wie er unter Reisenden üblich ist, und fragte, wie weit der Weg bis zur großen Stadt noch sei. Da stand sie auf und trat zu ihm her, schön schimmerte ihr feuchter Mund im jungen Gesicht. Sie tauschte Scherzreden mit ihm, fragte, ob er schon gegessen habe, und ob es wahr sei, daß die Samanas nachts allein im Walde schliefen und keine Frauen bei sich haben dürften. Dabei setzte sie ihren linken Fuß auf seinen rechten und machte eine Bewegung, wie die Frau sie macht, wenn sie den Mann zu jener Art des Liebesge-

nusses auffordert, welchen die Lehrbücher »das Baumbesteigen« nennen. Siddhartha fühlte sein Blut erwarmen, und da sein Traum ihm in diesem Augenblick wieder einfiel, bückte er sich ein wenig zu dem Weibe herab und küßte mit den Lippen die braune Spitze ihrer Brust. Aufschauend sah er ihr Gesicht voll Verlangen lächeln und die verkleinerten Augen in Sehnsucht flehen.
Auch Siddhartha fühlte Sehnsucht und den Quell des Geschlechts sich bewegen; da er aber noch nie ein Weib berührt hatte, zögerte er einen Augenblick, während seine Hände schon bereit waren, nach ihr zu greifen. Und in diesem Augenblick hörte er, erschauernd, die Stimme seines Innern, und die Stimme sagte nein. Da wich vom lächelnden Gesicht der jungen Frau aller Zauber, er sah nichts mehr als den feuchten Blick eines brünstigen Tierweibchens. Freundlich streichelte er ihre Wange, wandte sich von ihr und verschwand vor der Enttäuschten leichtfüßig in das Bambusgehölze.
An diesem Tage erreichte er vor Abend eine große Stadt, und freute sich, denn er begehrte nach Menschen. Lange hatte er in den Wäldern gelebt, und die stroherne Hütte des Fährmanns, in welcher er diese Nacht geschlafen hatte, war seit langer Zeit das erste Dach, das er über sich gehabt hatte.
Vor der Stadt, bei einem schönen umzäumten Haine, begegnete dem Wandernden ein kleiner Troß von Dienern und Dienerinnen, mit Körbchen beladen. Inmitten in einer geschmückten Sänfte, von vieren getragen, saß auf roten Kissen unter einem bunten Sonnendach eine Frau, die Herrin. Siddhartha blieb beim Eingang des Lusthaines stehen und sah dem Aufzuge zu, sah die Diener, die Mägde, die Körbe, sah die Sänfte, und sah in der Sänfte die Dame. Unter hochgetürmten schwarzen Haaren sah er ein sehr helles, sehr zartes, sehr kluges Gesicht, hellroten Mund wie eine frisch aufgebrochene Feige, Augenbrauen gepflegt und gemalt in hohen Bogen, dunkle Augen klug und wachsam, lichten hohen Hals aus grün und goldenem Oberkleide steigend, ruhende helle Hände lang und schmal mit breiten Goldreifen über den Gelenken.

Siddhartha sah, wie schön sie war, und sein Herz lachte. Tief verneigte er sich, als die Sänfte nahe kam, und sich wieder aufrichtend blickte er in das helle holde Gesicht, las einen Augenblick in den klugen hochüberwölbten Augen, atmete einen Hauch von Duft, den er nicht kannte. Lächelnd nickte die schöne Frau, einen Augenblick, und verschwand im Hain, und hinter ihr die Diener.
»So betrete ich diese Stadt«, dachte Siddhartha, »unter einem holden Zeichen.« Es zog ihn, sogleich in den Hain zu treten, doch bedachte er sich, und nun erst ward ihm bewußt, wie ihn die Diener und Mägde am Eingang betrachtet hatten, wie verächtlich, wie mißtrauisch, wie abweisend.
»Noch bin ich ein Samana«, dachte er, »noch immer, ein Asket und Bettler. Nicht so werde ich bleiben dürfen, nicht so in den Hain treten.« Und er lachte.
Den nächsten Menschen, der des Weges kam, fragte er nach dem Hain und nach dem Namen dieser Frau, und erfuhr, daß dies der Hain der Kamala war, der berühmten Kurtisane, und daß sie außer dem Haine ein Haus in der Stadt besaß.
Dann betrat er die Stadt. Er hatte nun ein Ziel.
Sein Ziel verfolgend, ließ er sich von der Stadt einschlürfen, trieb im Strom der Gassen, stand auf Plätzen still, ruhte auf Steintreppen am Flusse aus. Gegen den Abend befreundete er sich mit einem Barbiergehilfen, den er im Schatten eines Gewölbes hatte arbeiten sehen, den er betend in einem Tempel Vishnus wiederfand, dem er von den Geschichten Vishnus und der Lakschmi erzählte. Bei den Booten am Flusse schlief er die Nacht, und früh am Morgen, ehe die ersten Kunden in seinen Laden kamen, ließ er sich von dem Barbiergehilfen den Bart rasieren und das Haar beschneiden, das Haar kämmen und mit feinem Öle salben. Dann ging er im Flusse baden.
Als am Spätnachmittag die schöne Kamala in der Sänfte sich ihrem Haine näherte, stand am Eingang Siddhartha, verbeugte sich und empfing den Gruß der Kurtisane. Demjenigen Diener aber, der zuletzt im Zuge ging, winkte er und bat ihn, der Herrin zu melden, daß ein junger Brahmane mit ihr

zu sprechen begehre. Nach einer Weile kam der Diener zurück, forderte den Wartenden auf, ihm zu folgen, führte den ihm Folgenden schweigend in einen Pavillon, wo Kamala auf einem Ruhebett lag, und ließ ihn bei ihr allein.
»Bist du nicht gestern schon da draußen gestanden und hast mich begrüßt?« fragte Kamala.
»Wohl habe ich gestern schon dich gesehen und begrüßt.«
»Aber trugst du nicht gestern einen Bart, und lange Haare, und Staub in den Haaren?«
»Wohl hast du beobachtet, alles hast du gesehen. Du hast Siddhartha gesehen, den Brahmanensohn, welcher seine Heimat verlassen hat, um ein Samana zu werden, und drei Jahre lang ein Samana gewesen ist. Nun aber habe ich jenen Pfad verlassen, und kam in diese Stadt, und die erste, die mir noch vor dem Betreten der Stadt begegnete, warst du. Dies zu sagen, bin ich zu dir gekommen, o Kamala! Du bist die erste Frau, zu welcher Siddhartha anders als mit niedergeschlagenen Augen redet. Nie mehr will ich meine Augen niederschlagen, wenn eine schöne Frau mir begegnet.«
Kamala lächelte und spielte mit ihrem Fächer aus Pfauenfedern. Und fragte: »Und nur um mir dies zu sagen, ist Siddhartha zu mir gekommen?«
»Um dir dies zu sagen, und um dir zu danken, daß du so schön bist. Und wenn es dir nicht mißfällt, Kamala, möchte ich dich bitten, meine Freundin und Lehrerin zu sein, denn ich weiß noch nichts von der Kunst, in welcher du Meisterin bist.«
Da lachte Kamala laut.
»Nie ist mir das geschehen, Freund, daß ein Samana aus dem Walde zu mir kam und von mir lernen wollte! Nie ist mir das geschehen, daß ein Samana mit langen Haaren und in einem alten zerrissenen Schamtuche zu mir kam! Viele Jünglinge kommen zu mir, und auch Brahmanensöhne sind darunter, aber sie kommen in schönen Kleidern, sie kommen in feinen Schuhen, sie haben Wohlgeruch im Haar und Geld in den Beuteln. So, du Samana, sind die Jünglinge beschaffen, welche zu mir kommen.«

Sprach Siddhartha: »Schon fange ich an, von dir zu lernen. Auch gestern schon habe ich gelernt. Schon habe ich den Bart abgelegt, habe das Haar gekämmt, habe Öl im Haare. Weniges ist, das mir noch fehlt, du Vortreffliche: feine Kleider, feine Schuhe, Geld im Beutel. Wisse, Schwereres hat Siddhartha sich vorgenommen, als solche Kleinigkeiten sind, und hat es erreicht. Wie sollte ich nicht erreichen, was ich gestern mir vorgenommen habe: dein Freund zu sein und die Freuden der Liebe von dir zu lernen! Du wirst mich gelehrig sehen, Kamala, Schwereres habe ich gelernt, als was du mich lehren sollst. Und nun also: Siddhartha genügt dir nicht, so wie er ist, mit Öl im Haar, aber ohne Kleider, ohne Schuhe, ohne Geld?«
Lachend rief Kamala: »Nein, Werter, er genügt noch nicht. Kleider muß er haben, hübsche Kleider, und Schuhe, hübsche Schuhe, und viel Geld im Beutel, und Geschenke für Kamala. Weißt du es nun, Samana aus dem Walde? Hast du es dir gemerkt?«
»Wohl habe ich es mir gemerkt«, rief Siddhartha. »Wie sollte ich mir nicht merken, was aus einem solchen Munde kommt! Dein Mund ist wie eine frisch aufgebrochene Feige, Kamala. Auch mein Mund ist rot und frisch, er wird zu deinem passen, du wirst sehen. – Aber sage, schöne Kamala, hast du gar keine Furcht vor dem Samana aus dem Walde, der gekommen ist, um Liebe zu lernen?«
»Warum sollte ich denn Furcht vor einem Samana haben, einem dummen Samana aus dem Walde, der von den Schakalen kommt und noch gar nicht weiß, was Frauen sind?«
»Oh, er ist stark, der Samana, und er fürchtet nichts. Er könnte dich zwingen, schönes Mädchen. Er könnte dich rauben. Er könnte dir weh tun.«
»Nein, Samana, das fürchte ich nicht. Hat je ein Samana oder ein Brahmane gefürchtet, einer könnte kommen und ihn pakken und ihm seine Gelehrsamkeit, und seine Frömmigkeit, und seinen Tiefsinn rauben? Nein, denn die gehören ihm zu eigen, und er gibt davon nur, was er geben will und wem er geben will. So ist es, genau ebenso ist es auch mit Kamala, und

mit den Freuden der Liebe. Schön und rot ist Kamalas Mund, aber versuche, ihn gegen Kamalas Willen zu küssen, und nicht einen Tropfen Süßigkeit wirst du von ihm haben, der so viel Süßes zu geben versteht! Du bist gelehrig, Siddhartha, so lerne auch dies: Liebe kann man erbetteln, erkaufen, geschenkt bekommen, auf der Gasse finden, aber rauben kann man sie nicht. Da hast du dir einen falschen Weg ausgedacht. Nein, schade wäre es, wenn ein hübscher Jüngling wie du es so falsch angreifen wollte.«

Siddhartha verneigte sich lächelnd. »Schade wäre es, Kamala, wie sehr hast du recht! Überaus schade wäre es. Nein, von deinem Munde soll mir kein Tropfen Süßigkeit verlorengehen, noch dir von dem meinen! Es bleibt also dabei: Siddhartha wird wiederkommen, wenn er hat, was ihm noch fehlt: Kleider, Schuhe, Geld. Aber sprich, holde Kamala, kannst du mir noch einen kleinen Rat geben?«

»Einen Rat? Warum nicht? Wer wollte nicht gerne einem armen, unwissenden Samana, der von den Schakalen aus dem Walde kommt, einen Rat geben?«

»Liebe Kamala, so rate mir: wohin soll ich gehen, daß ich am raschesten jene drei Dinge finde?«

»Freund, das möchten viele wissen. Du mußt tun, was du gelernt hast, und dir dafür Geld geben lassen und Kleider und Schuhe. Anders kommt ein Armer nicht zu Geld. Was kannst du denn?«

»Ich kann denken. Ich kann warten. Ich kann fasten.«

»Nichts sonst?«

»Nichts. Doch, ich kann auch dichten. Willst du mir für ein Gedicht einen Kuß geben?«

»Das will ich tun, wenn dein Gedicht mir gefällt. Wie heißt es denn?«

Siddhartha sprach, nachdem er sich einen Augenblick besonnen hatte, diese Verse:

»In ihren schattigen Hain trat die schöne Kamala,
An Haines Eingang stand der braune Samana.

Tief, da er die Lotusblüte erblickte,
Beugte sich jener, lächelnd dankte Kamala.
Lieblicher, dachte der Jüngling, als Göttern zu opfern,
Lieblicher ist es, zu opfern der schönen Kamala.«

Laut klatschte Kamala in die Hände, daß die goldenen Armringe klangen.
»Schön sind deine Verse, brauner Samana, und wahrlich, ich verliere nichts, wenn ich dir einen Kuß für sie gebe.«
Sie zog ihn mit den Augen zu sich, er beugte sein Gesicht auf ihres, und legte seinen Mund auf den Mund, der wie eine frisch aufgebrochene Feige war. Lange küßte ihn Kamala, und mit tiefem Erstaunen fühlte Siddhartha, wie sie ihn lehrte, wie sie weise war, wie sie ihn beherrschte, ihn zurückwies, ihn lockte, und wie hinter diesem ersten eine lange, eine wohlgeordnete, wohlerprobte Reihe von Küssen stand, jeder vom andern verschieden, die ihn noch erwarteten. Tief atmend blieb er stehen, und war in diesem Augenblick wie ein Kind erstaunt über die Fülle des Wissens und Lernenswerten, die sich vor seinen Augen erschloß.
»Sehr schön sind deine Verse«, rief Kamala, »wenn ich reich wäre, gäbe ich dir Goldstücke dafür. Aber schwer wird es dir werden, mit Versen so viel Geld zu erwerben, wie du brauchst. Denn du brauchst viel Geld, wenn du Kamalas Freund sein willst.«
»Wie kannst du küssen, Kamala«, stammelte Siddhartha.
»Ja, das kann ich schon, darum fehlt es mir auch nicht an Kleidern, Schuhen, Armbändern und allen schönen Dingen. Aber was wird aus dir werden? Kannst du nichts als denken, fasten, dichten?«
»Ich kann auch die Opferlieder«, sagte Siddhartha, »aber ich will sie nicht mehr singen. Ich kann auch Zaubersprüche, aber ich will sie nicht mehr sprechen. Ich habe die Schriften gelesen – –«
»Halt«, unterbrach ihn Kamala. »Du kannst lesen? Und schreiben?«

»Gewiß kann ich das. Manche können das.«
»Die meisten können es nicht. Auch ich kann es nicht. Es ist sehr gut, daß du lesen und schreiben kannst, sehr gut. Auch die Zaubersprüche wirst du noch brauchen können.«
In diesem Augenblick kam eine Dienerin gelaufen und flüsterte der Herrin eine Nachricht ins Ohr.
»Ich bekomme Besuch«, rief Kamala. »Eile und verschwinde, Siddhartha, niemand darf dich hier sehen, das merke dir! Morgen sehe ich dich wieder.«
Der Magd aber befahl sie, dem frommen Brahmanen ein weißes Obergewand zu geben. Ohne zu wissen, wie ihm geschah, sah sich Siddhartha von der Magd hinweggezogen, auf Umwegen in ein Gartenhaus gebracht, mit einem Oberkleid beschenkt, ins Gebüsch geführt und dringlich ermahnt, sich alsbald ungesehen aus dem Hain zu verlieren.
Zufrieden tat er, wie ihm geheißen war. Des Waldes gewohnt, brachte er sich lautlos aus dem Hain und über die Hecke. Zufrieden kehrte er in die Stadt zurück, das zusammengerollte Kleid unterm Arm tragend. In einer Herberge, wo Reisende einkehrten, stellte er sich an die Tür, bat schweigend um Essen, nahm schweigend ein Stück Reiskuchen an. Vielleicht schon morgen, dachte er, werde ich niemand mehr um Essen bitten.
Stolz flammte plötzlich in ihm auf. Er war kein Samana mehr, nicht mehr stand es ihm an zu betteln. Er gab den Reiskuchen einem Hunde und blieb ohne Speise.
»Einfach ist das Leben, das man in der Welt hier führt«, dachte Siddhartha. »Es hat keine Schwierigkeiten. Schwer war alles, mühsam und am Ende hoffnungslos, als ich noch Samana war. Nun ist alles leicht, leicht wie der Unterricht im Küssen, den mir Kamala gibt. Ich brauche Kleider und Geld, sonst nichts, das sind kleine nahe Ziele, sie stören einem nicht den Schlaf.«
Längst hatte er das Stadthaus Kamalas erkundet, dort fand er sich am andern Tage ein.
»Es geht gut«, rief sie ihm entgegen. »Du wirst bei Kamaswami erwartet, er ist der reichste Kaufmann dieser Stadt.

Wenn du ihm gefällst, wird er dich in Dienst nehmen. Sei klug, brauner Samana. Ich habe ihm durch andere von dir erzählen lassen. Sei freundlich gegen ihn, er ist sehr mächtig. Aber sei nicht zu bescheiden! Ich will nicht, daß du sein Diener wirst, du sollst seinesgleichen werden, sonst bin ich nicht mir dir zufrieden. Kamaswami fängt an, alt und bequem zu werden. Gefällst du ihm, so wird er dir viel anvertrauen.«
Siddhartha dankte ihr und lachte, und da sie erfuhr, er habe gestern und heute nichts gegessen, ließ sie Brot und Früchte bringen und bewirtete ihn.
»Du hast Glück gehabt«, sagte sie beim Abschied, »eine Tür um die andre tut sich dir auf. Wie kommt das wohl? Hast du einen Zauber?«
Siddhartha sagte: »Gestern erzählte ich dir, ich verstünde zu denken, zu warten und zu fasten, du aber fandest, das sei zu nichts nütze. Es ist aber zu vielem nütze, Kamala, du wirst es sehen. Du wirst sehen, daß die dummen Samanas im Walde viel Hübsches lernen und können, das ihr nicht könnt. Vorgestern war ich noch ein struppiger Bettler, gestern habe ich schon Kamala geküßt, und bald werde ich ein Kaufmann sein und Geld haben und all diese Dinge, auf die du Wert legst.«
»Nun ja«, gab sie zu. »Aber wie stünde es mit dir ohne mich? Was wärest du, wenn Kamala dir nicht hülfe?«
»Liebe Kamala«, sagte Siddhartha und richtete sich hoch auf, »als ich zu dir in deinen Hain kam, tat ich den ersten Schritt. Es war mein Vorsatz, bei dieser schönsten Frau die Liebe zu lernen. Von jenem Augenblick an, da ich den Vorsatz faßte, wußte ich auch, daß ich ihn ausführen werde. Ich wußte, daß du mir helfen würdest, bei deinem ersten Blick am Eingang des Haines wußte ich es schon.«
»Wenn ich aber nicht gewollt hätte?«
»Du hast gewollt. Sieh, Kamala: Wenn du einen Stein ins Wasser wirfst, so eilt er auf dem schnellsten Wege zum Grunde des Wassers. So ist es, wenn Siddhartha ein Ziel, einen Vorsatz hat. Siddhartha tut nichts, er wartet, er denkt, er fastet, aber er geht durch die Dinge der Welt hindurch wie der Stein

durchs Wasser, ohne etwas zu tun, ohne sich zu rühren; er wird gezogen, er läßt sich fallen. Sein Ziel zieht ihn an sich, denn er läßt nichts in seine Seele ein, was dem Ziel widerstreben könnte. Das ist es, was Siddhartha bei den Samanas gelernt hat. Es ist das, was die Toren Zauber nennen und wovon sie meinen, es werde durch die Dämonen bewirkt. Nichts wird von Dämonen bewirkt, es gibt keine Dämonen. Jeder kann zaubern, jeder kann seine Ziele erreichen, wenn er denken kann, wenn er warten kann, wenn er fasten kann.«

Kamala hörte ihm zu. Sie liebte seine Stimme, sie liebte den Blick seiner Augen.

»Vielleicht ist es so«, sagte sie leise, »wie du sprichst, Freund. Vielleicht ist es aber auch so, daß Siddhartha ein hübscher Mann ist, daß sein Blick den Frauen gefällt, daß darum das Glück ihm entgegenkommt.«

Mit einem Kuß nahm Siddhartha Abschied. »Möge es so sein, meine Lehrerin. Möge immer mein Blick dir gefallen, möge immer von dir mir Glück entgegenkommen!«

Bei den Kindermenschen

Siddhartha ging zum Kaufmann Kamaswami, in ein reiches Haus ward er gewiesen, Diener führten ihn zwischen kostbaren Teppichen in ein Gemach, wo er den Hausherrn erwartete.

Kamaswami trat ein, ein rascher, geschmeidiger Mann mit stark ergrauendem Haar, mit sehr klugen, vorsichtigen Augen, mit einem begehrlichen Mund. Freundlich begrüßten sich Herr und Gast.

»Man hat mir gesagt«, begann der Kaufmann, »daß du ein Brahmane bist, ein Gelehrter, daß du aber Dienste bei einem Kaufmann suchst. Bist du denn in Not geraten, Brahmane, daß du Dienste suchst?«

»Nein«, sagte Siddhartha, »ich bin nicht in Not geraten und bin nie in Not gewesen. Wisse, das ich von den Samanas komme, bei welchen ich lange Zeit gelebt habe.«

»Wenn du von den Samanas kommst, wie solltest du da nicht in Not sein? Sind nicht die Samanas völlig besitzlos?«

»Besitzlos bin ich«, sagte Siddhartha, »wenn es das ist, was du meinst. Gewiß bin ich besitzlos. Doch ich bin es freiwillig, bin also nicht in Not.«

»Wovon aber willst du leben, wenn du besitzlos bist?«

»Ich habe daran noch nie gedacht, Herr. Ich bin mehr als drei Jahre besitzlos gewesen, und habe niemals daran gedacht, wovon ich leben solle.«

»So hast du vom Besitz anderer gelebt.«

»Vermutlich ist es so. Auch der Kaufmann lebt ja von der Habe anderer.«

»Wohl gesprochen. Doch nimmt er von den andern das Ihre nicht umsonst; er gibt ihnen seine Waren dafür.«

»So scheint es sich in der Tat zu verhalten. Jeder nimmt, jeder gibt, so ist das Leben.«

»Aber erlaube: wenn du besitzlos bist, was willst du da geben?«

»Jeder gibt, was er hat. Der Krieger gibt Kraft, der Kaufmann gibt Ware, der Lehrer Lehre, der Bauer Reis, der Fischer Fische.«
»Sehr wohl. Und was ist es nun, was du zu geben hast? Was ist es, das du gelernt hast, das du kannst?«
»Ich kann denken. Ich kann warten. Ich kann fasten.«
»Das ist alles?«
»Ich glaube, es ist alles!«
»Und wozu nützt es? Zum Beispiel das Fasten – wozu ist es gut?«
»Es ist sehr gut, Herr. Wenn ein Mensch nichts zu essen hat, so ist Fasten das Allerklügste, was er tun kann. Wenn, zum Beispiel, Siddhartha nicht fasten gelernt hätte, so müßte er heute noch irgendeinen Dienst annehmen, sei es bei dir oder wo immer, denn der Hunger würde ihn dazu zwingen. So aber kann Siddhartha ruhig warten, er kennt keine Ungeduld, er kennt keine Notlage, lange kann er sich vom Hunger belagern lassen und kann dazu lachen. Dazu, Herr, ist Fasten gut.«
»Du hast recht, Samana. Warte einen Augenblick.«
Kamaswami ging hinaus und kehrte mit einer Rolle wieder, die er seinem Gaste hinreichte, indem er fragte: »Kannst du dies lesen?«
Siddhartha betrachtete die Rolle, in welcher ein Kaufvertrag niedergeschrieben war, und begann ihren Inhalt vorzulesen.
»Vortrefflich«, sagte Kamaswami. »Und willst du mir etwas auf dieses Blatt schreiben?«
Er gab ihm ein Blatt und einen Griffel, und Siddhartha schrieb und gab das Blatt zurück.
Kamaswami las: »Schreiben ist gut, Denken ist besser. Klugheit ist gut, Geduld ist besser.«
»Vorzüglich verstehst du zu schreiben«, lobte der Kaufmann. »Manches werden wir noch miteinander zu sprechen haben. Für heute bitte ich dich, sei mein Gast und nimm in diesem Hause Wohnung.«
Siddhartha dankte und nahm an, und wohnte nun im Hause des Händlers. Kleider wurden ihm gebracht und Schuhe, und

ein Diener bereitete ihm täglich das Bad. Zweimal am Tage wurde eine reichliche Mahlzeit aufgetragen, Siddhartha aber aß nur einmal am Tage, und aß weder Fleisch noch trank er Wein. Kamaswami erzählte ihm von seinem Handel, zeigte ihm Waren und Magazine, zeigte ihm Berechnungen. Vieles Neue lernte Siddhartha kennen, er hörte viel und sprach wenig. Und der Worte Kamalas eingedenk, ordnete er sich niemals dem Kaufmann unter, zwang ihn, daß er ihn als seinesgleichen, ja als mehr denn seinesgleichen behandle. Kamaswami betrieb seine Geschäfte mit Sorglichkeit und oft mit Leidenschaft, Siddhartha aber betrachtete dies alles wie ein Spiel, dessen Regeln genau zu lernen er bemüht war, dessen Inhalt aber sein Herz nicht berührte.

Nicht lange war er in Kamaswamis Hause, da nahm er schon an seines Hausherrn Handel teil. Täglich aber zu der Stunde, die sie ihm nannte, besuchte er die schöne Kamala, in hübschen Kleidern, in feinen Schuhen, und bald brachte er ihr auch Geschenke mit. Vieles lehrte ihn ihr roter, kluger Mund. Vieles lehrte ihn ihre zarte, geschmeidige Hand. Ihn, der in der Liebe noch ein Knabe war und dazu neigte, sich blindlings und unersättlich in die Lust zu stürzen wie ins Bodenlose, lehrte sie von Grund auf die Lehre, daß man Lust nicht nehmen kann, ohne Lust zu geben, und daß jede Gebärde, jedes Streicheln, jede Berührung, jeder Anblick, jede kleinste Stelle des Körpers ihr Geheimnis hat, das zu wecken dem Wissenden Glück bereitet. Sie lehrte ihn, daß Liebende nach einer Liebesfeier nicht voneinander gehen dürfen, ohne eins das andere zu bewundern, ohne ebenso besiegt zu sein, wie gesiegt zu haben, so daß bei keinem von beiden Übersättigung und Öde entstehe und das böse Gefühl, mißbraucht zu haben oder mißbraucht worden zu sein. Wunderbare Stunden brachte er bei der schönen und klugen Künstlerin zu, wurde ihr Schüler, ihr Liebhaber, ihr Freund. Hier bei Kamala lag der Wert und Sinn seines jetzigen Lebens, nicht im Handel des Kamaswami.

Der Kaufmann übertrug ihm das Schreiben wichtiger Briefe und Verträge und gewöhnte sich daran, alle wichtigen Angele-

genheiten mit ihm zu beraten. Er sah bald, daß Siddhartha von Reis und Wolle, von Schiffahrt und Handel wenig verstand, daß aber seine Hand eine glückliche war, und daß Siddhartha ihn, den Kaufmann, übertraf an Ruhe und Gleichmut, und in der Kunst des Zuhörenkönnens und Eindringens in fremde Menschen. »Dieser Brahmane«, sagte er zu einem Freunde, »ist kein richtiger Kaufmann und wird nie einer werden, nie ist seine Seele mit Leidenschaft bei den Geschäften. Aber er hat das Geheimnis jener Menschen, zu welchen der Erfolg von selber kommt, sei das nun ein angeborener guter Stern, sei es Zauber, sei es etwas, das er bei den Samanas gelernt hat. Immer scheint er mit den Geschäften nur zu spielen, nie gehen sie ganz in ihn ein, nie beherrschen sie ihn, nie fürchtet er Mißerfolg, nie bekümmert ihn ein Verlust.«
Der Freund riet dem Händler: »Gib ihm von den Geschäften, die er für dich treibt, ein Drittel vom Gewinn, laß ihn aber auch denselben Anteil des Verlustes treffen, wenn Verlust entsteht. So wird er eifriger werden.«
Kamaswani folgte dem Rat. Siddhartha aber kümmerte sich wenig darum. Traf ihn Gewinn, so nahm er ihn gleichgültig hin; traf ihn Verlust, so lachte er und sagte: »Ei sieh, dies ist also schlechtgegangen!«
Es schien in der Tat, als seien die Geschäfte ihm gleichgültig. Einmal reiste er in ein Dorf, um dort eine große Reisernte aufzukaufen. Als er ankam, war aber der Reis schon an einen andern Händler verkauft. Dennoch blieb Siddhartha manche Tage in jenem Dorf, bewirtete die Bauern, schenkte ihren Kindern Kupfermünzen, feierte eine Hochzeit mit und kam überaus zufrieden von der Reise zurück. Kamaswami machte ihm Vorwürfe, daß er nicht sogleich umgekehrt sei, daß er Zeit und Geld vergeudet habe. Siddhartha antwortete: »Laß das Schelten, lieber Freund! Noch nie ist mit Schelten etwas erreicht worden. Ist Verlust entstanden, so laß mich den Verlust tragen. Ich bin sehr zufrieden mit dieser Reise. Ich habe vielerlei Menschen kennengelernt, ein Brahmane ist mein Freund geworden, Kinder sind auf meinen Knien geritten,

Bauern haben mir ihre Felder gezeigt, niemand hat mich für einen Händler gehalten.«

»Sehr hübsch ist dies alles«, rief Kamaswami unwillig, »aber tatsächlich bist du doch ein Händler, sollte ich meinen! Oder bist du denn nur zu deinem Vergnügen gereist?«

»Gewiß«, lachte Siddhartha, »gewiß bin ich zu meinem Vergnügen gereist. Wozu denn sonst? Ich habe Menschen und Gegenden kennengelernt, ich habe Freundlichkeit und Vertrauen genossen, ich habe Freundschaften gefunden. Sieh, Lieber, wenn ich Kamaswami gewesen wäre, so wäre ich sofort, als ich meinen Kauf vereitelt sah, voll Ärger und in Eile wieder zurückgereist, und Zeit und Geld wären in der Tat verloren gewesen. So aber habe ich gute Tage gehabt, habe gelernt, habe Freude genossen, habe weder mich noch andere durch Ärger und durch Eilfertigkeit geschädigt. Und wenn ich jemals wieder dorthin komme, vielleicht um eine spätere Ernte zu kaufen, oder zu welchem Zwecke es sei, so werden freundliche Menschen mich freundlich und heiter empfangen, und ich werde mich dafür loben, daß ich damals nicht Eile und Unmut gezeigt habe. Also laß gut sein, Freund, und schade dir nicht durch Schelten! Wenn der Tag kommt, an dem du sehen wirst: Schaden bringt mir dieser Siddhartha, dann sprich ein Wort, und Siddhartha wird seiner Wege gehen. Bis dahin aber laß uns einer mit dem andern zufrieden sein.«

Vergeblich waren auch die Versuche des Kaufmanns, Siddhartha zu überzeugen, daß er sein, Kamaswamis, Brot esse. Siddhartha aß sein eignes Brot, vielmehr sie beide aßen das Brot anderer, das Brot aller. Niemals hatte Siddhartha ein Ohr für Kamaswamis Sorgen, und Kamaswami machte sich viele Sorgen. War ein Geschäft im Gange, welchem Mißerfolg drohte, schien eine Warensendung verloren, schien ein Schuldner nicht zahlen zu können, nie konnte Kamaswami seinen Mitarbeiter überzeugen, daß es nützlich sei, Worte des Kummers oder des Zornes zu verlieren, Falten auf der Stirn zu haben, schlecht zu schlafen. Als ihm Kamaswami einstmals vorhielt, er habe alles, was er verstehe, von ihm gelernt, gab er zur Antwort: »Wolle mich doch nicht mit solchen Späßen zum besten haben! Von dir habe ich gelernt, wieviel ein Korb voll Fische kostet, und wieviel Zins man für geliehenes Geld fordern kann. Das sind deine Wissenschaften. Denken habe ich nicht bei dir gelernt, teurer Kamaswami, suche lieber du, es von mir zu lernen.«

In der Tat war seine Seele nicht beim Handel. Die Geschäfte waren gut, um ihm Geld für Kamala einzubringen, und sie brachten weit mehr ein, als er brauchte. Im übrigen war Siddharthas Teilnahme und Neugierde nur bei den Menschen, deren Geschäfte, Handwerke, Sorgen, Lustbarkeiten und Torheiten ihm früher fremd und fern gewesen waren wie der Mond. So leicht es ihm gelang, mit allen zu sprechen, mit allen zu leben, von allen zu lernen, so sehr ward ihm dennoch bewußt, daß etwas sei, was ihn von ihnen trennte, und dies Trennende war sein Samanatum. Er sah die Menschen auf eine kindliche oder tierhafte Art dahinleben, welche er zugleich liebte und auch verachtete. Er sah sie sich mühen, sah sie leiden und grau werden um Dinge, die ihm dieses Preises ganz unwert schienen, um Geld, um kleine Lust, um kleine Ehren, er sah sie einander schelten und beleidigen, er sah sie um Schmerzen wehklagen, über die der Samana lächelt, und unter Entbehrungen leiden, die ein Samana nicht fühlt.

Allem stand er offen, was diese Menschen ihm zubrachten. Willkommen war ihm der Händler, der ihm Leinwand zum Kauf anbot, willkommen der Verschuldete, der ein Darlehen suchte, willkommen der Bettler, der ihm eine Stunde lang die Geschichte seiner Armut erzählte, und welcher nicht halb so arm war als ein jeder Samana. Den reichen ausländischen Händler behandelte er nicht anders als den Diener, der ihn rasierte, und den Straßenverkäufer, von dem er sich beim Bananenkauf um kleine Münze betrügen ließ. Wenn Kamaswami zu ihm kam, um über seine Sorgen zu klagen oder ihm wegen eines Geschäftes Vorwürfe zu machen, so hörte er neugierig und heiter zu, wunderte sich über ihn, suchte ihn zu verstehen, ließ ihn ein wenig recht haben, ebensoviel als ihm un-

entbehrlich schien, und wandte sich von ihm ab, dem Nächsten zu, der ihn begehrte. Und es kamen viele zu ihm, viele, um mit ihm zu handeln, viele, um ihn zu betrügen, viele, um ihn auszuhorchen, viele, um sein Mitleid anzurufen, viele, um seinen Rat zu hören. Er gab Rat, er bemitleidete, er schenkte, er ließ sich ein wenig betrügen, und dieses ganze Spiel und die Leidenschaft, mit welcher alle Menschen dies Spiel betrieben, beschäftigte seine Gedanken ebensosehr, wie einst die Götter und das Brahman sie beschäftigt hatten.
Zuzeiten spürte er, tief in der Brust, eine sterbende, leise Stimme, die mahnte leise, klagte leise, kaum daß er sie vernahm. Alsdann kam ihm für eine Stunde zum Bewußtsein, daß er ein seltsames Leben führe, daß er da lauter Dinge tue, die bloß ein Spiel waren, daß er wohl heiter sei und zuweilen Freude fühle, daß aber das eigentliche Leben dennoch an ihm vorbeifließe und ihn nicht berühre. Wie ein Ballspieler mit seinen Bällen spielt, so spielte er mit seinen Geschäften, mit den Menschen seiner Umgebung, sah ihnen zu, fand seinen Spaß an ihnen; mit dem Herzen, mit der Quelle seines Wesens war er nicht dabei. Die Quelle lief irgendwo, wie fern von ihm, lief und lief unsichtbar, hatte nichts mehr mit seinem Leben zu tun. Und einigemal erschrak er ob solchen Gedanken und wünschte sich, es möge doch auch ihm gegeben sein, bei all dem kindlichen Tun des Tages mit Leidenschaft und mit dem Herzen beteiligt zu sein, wirklich zu leben, wirklich zu tun, wirklich zu genießen und zu leben, statt nur so als ein Zuschauer daneben zu stehen.
Immer aber kam er wieder zur schönen Kamala, lernte Liebeskunst, übte den Kult der Lust, bei welchem mehr als irgendwo Geben und Nehmen zu einem wird, plauderte mit ihr, lernte von ihr, gab ihr Rat, empfing Rat. Sie verstand ihn besser, als Govinda ihn einst verstanden hatte, sie war ihm ähnlicher.
Einmal sagte er zu ihr: »Du bist wie ich, du bist anders als die meisten Menschen. Du bist Kamala, nichts andres, und in dir innen ist eine Stille und Zuflucht, in welche du zu jeder Stunde

eingehen und bei dir daheim sein kannst, so wie auch ich es kann. Wenige Menschen haben das, und doch könnten alle es haben.«
»Nicht alle Menschen sind klug«, sagte Kamala.
»Nein«, sagte Siddhartha, »nicht daran liegt es. Kamaswami ist ebenso klug wie ich, und hat doch keine Zuflucht in sich. Andre haben sie, die an Verstand kleine Kinder sind. Die meisten Menschen, Kamala, sind wie ein fallendes Blatt, das weht und dreht sich durch die Luft, und schwankt, und taumelt zu Boden. Andre aber, wenige, sind wie Sterne, die gehen eine feste Bahn, kein Wind erreicht sie, in sich selber haben sie ihr Gesetz und ihre Bahn. Unter allen Gelehrten und Samanas, deren ich viele kannte, war einer von dieser Art, ein Vollkommener, nie kann ich ihn vergessen. Es ist jener Gotama, der Erhabene, der Verkünder jener Lehre. Tausend Jünger hören jeden Tag seine Lehre, folgen jede Stunde seiner Vorschrift, aber sie alle sind fallendes Laub, nicht in sich selbst haben sie Lehre und Gesetz.«
Kamala betrachtete ihn mit Lächeln. »Wieder redest du von ihm«, sagte sie, »wieder hast du Samanagedanken.«
Siddhartha schwieg, und sie spielten das Spiel der Liebe, eines von den dreißig oder vierzig verschiedenen Spielen, welche Kamala wußte. Ihr Leib war biegsam wie der eines Jaguars und wie der Bogen eines Jägers; wer von ihr die Liebe gelernt hatte, war vieler Lüste, vieler Geheimnisse kundig. Lange spielte sie mit Siddhartha, lockte ihn, wies ihn zurück, zwang ihn, umspannte ihn, freute sich seiner Meisterschaft, bis er besiegt war und erschöpft an ihrer Seite ruhte.
Die Hetäre beugte sich über ihn, sah lang in sein Gesicht, in seine müdgewordenen Augen.
»Du bist der beste Liebende«, sagte sie nachdenklich, »den ich gesehen habe. Du bist stärker als andre, biegsamer, williger. Gut hast du meine Kunst gelernt, Siddhartha. Einst, wenn ich älter bin, will ich von dir ein Kind haben. Und dennoch, Lieber, bist du ein Samana geblieben, dennoch liebst du mich nicht, du liebst keinen Menschen. Ist es nicht so?«

»Es mag wohl so sein«, sagte Siddhartha müde. »Ich bin wie du. Auch du liebst nicht – wie könntest du sonst die Liebe als eine Kunst betreiben? Die Menschen von unserer Art können vielleicht nicht lieben. Die Kindermenschen können es; das ist ihr Geheimnis.«

Sansara

Lange Zeit hatte Siddhartha das Leben der Welt und der Lüste gelebt, ohne ihm doch anzugehören. Seine Sinne, die er in heißen Samana-Jahren ertötet hatte, waren wieder erwacht, er hatte Reichtum gekostet, hatte Wollust gekostet, hatte Macht gekostet; dennoch war er lange Zeit im Herzen noch ein Samana geblieben, dies hatte Kamala, die Kluge, richtig erkannt. Immer noch war es die Kunst des Denkens, des Wartens, des Fastens, von welcher sein Leben gelenkt wurde, immer noch waren die Menschen der Welt, die Kindermenschen, ihm fremd geblieben, wie er ihnen fremd war.

Die Jahre liefen dahin, in Wohlergehen eingehüllt fühlte Siddhartha ihr Schwinden kaum. Er war reich geworden, er besaß längst ein eigenes Haus und eigene Dienerschaft, und einen Garten vor der Stadt am Flusse. Die Menschen hatten ihn gerne, sie kamen zu ihm, wenn sie Geld oder Rat brauchten, niemand aber stand ihm nahe, außer Kamala.

Jenes hohe, helle Wachsein, welches er einst, auf der Höhe seiner Jugend, erlebt hatte, in den Tagen nach Gotamas Predigt, nach der Trennung von Govinda, jene gespannte Erwartung, jenes stolze Alleinstehen ohne Lehren und ohne Lehrer, jene geschmeidige Bereitschaft, die göttliche Stimme im eigenen Herzen zu hören, war allmählich Erinnerung geworden, war vergänglich gewesen; fern und leise rauschte die heilige Quelle, die einst nahe gewesen war, die einst in ihm selber gerauscht hatte. Vieles zwar, das er von den Samanas gelernt, das er von Gotama gelernt, das er von seinem Vater, dem Brahmanen, gelernt hatte, war noch lange Zeit in ihm geblieben: mäßiges Leben, Freude am Denken, Stunden der Versenkung, heimliches Wissen vom Selbst, vom ewigen Ich, das nicht Körper noch Bewußtsein ist. Manches davon war in ihm geblieben, eines ums andere aber war untergesunken und hatte sich mit Staub bedeckt. Wie die Scheibe des Töpfers, einmal angetrieben, sich noch lange dreht und nur langsam ermüdet und ausschwingt, so hatte in Siddharthas Seele das Rad der Askese, das Rad des Denkens, das Rad der Unterscheidung lange weitergeschwungen, schwang immer noch, aber es schwang langsam und zögernd und war dem Stillstand nahe. Langsam, wie Feuchtigkeit in den absterbenden Baumstrunk dringt, ihn langsam füllt und faulen macht, war Welt und Trägheit in Siddharthas Seele gedrungen, langsam füllte sie seine Seele, machte sie schwer, machte sie müde, schläferte sie ein. Dafür waren seine Sinne lebendig geworden, viel hatten sie gelernt, viel erfahren.

Siddhartha hatte gelernt, Handel zu treiben, Macht über Menschen auszuüben, sich mit dem Weibe zu vergnügen, er hatte gelernt, schöne Kleider zu tragen, Dienern zu befehlen, sich in wohlriechenden Wassern zu baden. Er hatte gelernt, zart und sorgfältig bereitete Speisen zu essen, auch den Fisch, auch Fleisch und Vogel, Gewürze und Süßigkeiten, und den Wein zu trinken, der träge und vergessen macht. Er hatte gelernt, mit Würfeln und auf dem Schachbrette zu spielen, Tänzerinnen zuzusehen, sich in der Sänfte tragen zu lassen, auf einem weichen Bett zu schlafen. Aber immer noch hatte er sich von den andern verschieden und ihnen überlegen gefühlt, immer hatte er ihnen mit ein wenig Spott zugesehen, mit ein wenig spöttischer Verachtung, mit ebenjener Verachtung, wie sie ein Samana stets für Weltleute fühlt. Wenn Kamaswami kränklich war, wenn er ärgerlich war, wenn er sich beleidigt fühlte, wenn er von seinen Kaufmannssorgen geplagt wurde, immer hatte Siddhartha es mit Spott angesehen. Langsam und unmerklich nur, mit den dahingehenden Erntezeiten und Regenzeiten, war sein Spott müder geworden, war seine Überlegenheit stiller geworden. Langsam nur, zwischen seinen wachsenden Reichtümern, hatte Siddhartha selbst etwas von der Art der Kindermenschen angenommen, etwas von ihrer Kindlichkeit und von ihrer Ängstlichkeit. Und doch beneidete er sie, beneidete sie desto mehr, je ähnlicher er ihnen wurde. Er beneidete sie um das eine, was ihm fehlte und was sie hatten, um die Wichtigkeit, welche sie ihrem Leben beizulegen vermochten, um die Leidenschaftlichkeit ihrer Freuden und Ängste, um das bange, aber süße Glück ihrer ewigen Verliebtheit. In sich selbst, in Frauen, in ihre Kinder, in Ehre oder Geld, in Pläne oder Hoffnungen verliebt waren diese Menschen immerzu. Er aber lernte dies nicht von ihnen, gerade dies nicht, diese Kinderfreude und Kindertorheit; er lernte von ihnen gerade das Unangenehme, was er selbst verachtete. Es geschah immer öfter, daß er am Morgen nach einem geselligen Abend lange liegenblieb und sich dumpf und müde fühlte. Es geschah, daß er ärgerlich und ungeduldig wurde, wenn Kamaswami ihn mit seinen Sorgen langweilte. Es geschah, daß er allzu laut lachte, wenn er im Würfelspiel verlor. Sein Gesicht war noch immer klüger und geistiger als andre, aber es lachte selten und nahm einen um den andern jene Züge an, die man im Gesicht reicher Leute so häufig findet, jene Züge der Unzufriedenheit, der Kränklichkeit, des Mißmutes, der Trägheit, der Lieblosigkeit. Langsam ergriff ihn die Seelenkrankheit der Reichen.

Wie ein Schleier, wie ein dünner Nebel senkte sich Müdigkeit über Siddhartha, langsam, jeden Tag ein wenig dichter, jeden Monat ein wenig trüber, jedes Jahr ein wenig schwerer. Wie ein neues Kleid mit der Zeit alt wird, mit der Zeit seine schöne Farbe verliert, Flecken bekommt, Falten bekommt, an den Säumen abgestoßen wird und hier und dort blöde, fädige Stellen zu zeigen beginnt, so war Siddharthas neues Leben, das er nach seiner Trennung von Govinda begonnen hatte, alt geworden, so verlor es mit den hinrinnenden Jahren Farbe und Glanz, so sammelten sich Falten und Flecken auf ihm, und im Grunde verborgen, hier und dort schon häßlich hervorblikkend, wartete Enttäuschung und Ekel. Siddhartha merkte es nicht. Er merkte nur, daß jene helle und sichere Stimme seines Innern, die einst in ihm erwacht war und ihn in seinen glänzenden Zeiten je und je geleitet hatte, schweigsam geworden war.

Die Welt hatte ihn eingefangen, die Lust, die Begehrlichkeit, die Trägheit, und zuletzt auch noch jenes Laster, das er als das törichteste stets am meisten verachtet und gehöhnt hatte: die Habgier. Auch das Eigentum, der Besitz und Reichtum hatte ihn schließlich eingefangen, war ihm kein Spiel und Tand mehr, war Kette und Last geworden. Auf einem seltsamen und listigen Wege war Siddhartha in diese letzte und schnödeste Abhängigkeit geraten, durch das Würfelspiel. Seit der Zeit nämlich, da er im Herzen aufgehört hatte, ein Samana zu sein, begann Siddhartha das Spiel um Geld und Kostbarkeiten, das er sonst lächelnd und lässig als eine Sitte der Kindermenschen mitgemacht hatte, mit einer zunehmenden Wut und Leidenschaft zu treiben. Er war ein gefürchteter Spieler, wenige wagten es mit ihm, so hoch und frech waren seine Einsätze. Er trieb das Spiel aus der Not seines Herzens, das Verspielen und Verschleudern des elenden Geldes schuf ihm eine zornige Freude, auf keine andere Weise konnte er seine Verachtung des Reichtums, des Götzen der Kaufleute, deutlicher und höhnischer zeigen. So spielte er hoch und schonungslos, sich selbst hassend, sich selbst verhöhnend, strich Tausende ein, warf Tausende weg, verspielte Geld, verspielte Schmuck, verspielte ein Landhaus, gewann wieder, verspielte wieder. Jene Angst, jene furchtbare und beklemmende Angst, welche er während des Würfelns, während des Bangens um hohe Einsätze empfand, jene Angst liebte er und suchte sie immer zu erneuern, immer zu steigern, immer höher zu kitzeln, denn in diesem Gefühl allein noch fühlte er etwas wie Glück, etwas wie Rausch, etwas wie erhöhtes Leben inmitten seines gesättigten, lauen, faden Lebens. Und nach jedem großen Verluste sann er auf neuen Reichtum, ging eifriger dem Handel nach, zwang strenger seine Schuldner zum Zahlen, denn er wollte weiterspielen, er wollte weitervergeuden, weiter dem Reichtum seine Verachtung zeigen. Siddhartha verlor die Gelassenheit bei Verlusten, er verlor die Geduld gegen säumige Zahler, verlor die Gutmütigkeit gegen Bettler, verlor die Lust am Verschenken und Wegleihen des Geldes an Bittende. Er, der zehntausend auf einen Wurf verspielte und dazu lachte, wurde im Handel strenger und kleinlicher, träumte nachts zuweilen von Geld! Und sooft er aus dieser häßlichen Bezauberung erwachte, sooft er sein Gesicht im Spiegel an der Schlafzimmerwand gealtert und häßlicher geworden sah, sooft Scham und Ekel ihn überfiel, floh er weiter, floh in neues Glücksspiel, floh in Betäubungen der Wollust, des Weines, und von da zurück in den Trieb des Häufens und Erwerbens. In diesem sinnlosen Kreislauf lief er sich müde, lief er sich alt, lief sich krank.

Da mahnte ihn einst ein Traum. Er war die Abendstunden bei Kamala gewesen, in ihrem schönen Lustgarten. Sie waren unter den Bäumen gesessen, im Gespräch, und Kamala hatte nachdenkliche Worte gesagt, Worte, hinter welchen sich eine Trauer und Müdigkeit verbarg. Von Gotama hatte sie ihn gebeten zu erzählen, und konnte nicht genug von ihm hören, wie rein sein Auge, wie still und schön sein Mund, wie gütig sein Lächeln, wie friedevoll sein Gang gewesen. Lange hatte er ihr vom erhabenen Buddha erzählen müssen, und Kamala hatte geseufzt, und hatte gesagt: »Einst, vielleicht bald, werde auch ich diesem Buddha folgen. Ich werde ihm meinen Lustgarten schenken, und werde meine Zuflucht zu seiner Lehre nehmen.«

Darauf aber hatte sie ihn gereizt und ihn im Liebesspiel mit schmerzlicher Inbrunst an sich gefesselt, unter Bissen und unter Tränen, als wolle sie noch einmal aus dieser eiteln, vergänglichen Lust den letzten süßen Tropfen pressen. Nie war es Siddhartha so seltsam klargeworden, wie nahe die Wollust dem Tode verwandt ist. Dann war er an ihrer Seite gelegen, und Kamalas Antlitz war ihm nahe gewesen, und unter ihren Augen und neben ihren Mundwinkeln hatte er, deutlich wie noch niemals, eine bange Schrift gelesen, eine Schrift von feinen Linien, von leisen Furchen, eine Schrift, die an den Herbst und an das Alter erinnerte, wie denn auch Siddhartha selbst, der erst in den Vierzigern stand, schon hier und dort ergraute Haare zwischen seinen schwarzen bemerkt hatte. Müdigkeit stand auf Kamalas schönem Gesicht geschrieben, Müdigkeit und beginnende Welke, und verheimlichte, noch nicht gesagte, vielleicht noch nicht einmal gewußte Bangigkeit: Furcht vor dem Alter, Furcht vor dem Herbste, Furcht vor dem Sterbenmüssen. Seufzend hatte er von ihr Abschied genommen, die Seele voll Unlust und voll verheimlichter Bangigkeit.

Dann hatte Siddhartha die Nacht in seinem Hause mit Tänzerinnen beim Weine zugebracht, hatte gegen seine Standesgenossen den Überlegenen gespielt, welcher er nicht mehr war, hatte viel Wein getrunken und spät nach Mitternacht sein Lager aufgesucht, müde und dennoch erregt, dem Weinen und der Verzweiflung nahe, und hatte lange vergeblich den Schlaf gesucht, das Herz voll eines Elends, das er nicht mehr ertragen zu können meinte, voll eines Ekels, von dem er sich durchdrungen fühlte wie vom lauen, widerlichen Geschmack des Weines, der allzu süßen, öden Musik, dem allzu weichen Lächeln der Tänzerinnen, dem allzu süßen Duft ihrer Haare und Brüste. Mehr aber als vor allem anderen ekelte ihm vor sich selbst, vor seinen duftenden Haaren, vor dem Weingeruch seines Mundes, vor der schlaffen Müdigkeit und Unlust seiner Haut. Wie wenn einer, der allzuviel gegessen oder getrunken hat, es unter Qualen wieder erbricht und doch der Erleichterung froh ist, so wünschte sich der Schlaflose, in einem ungeheuren Schwall von Ekel sich dieser Genüsse, dieser Gewohnheiten, dieses ganzen sinnlosen Lebens und seiner selbst zu entledigen. Erst beim Schein des Morgens und dem Erwachen der ersten Geschäftigkeit auf der Straße vor seinem Stadthause war er eingeschlummert, hatte für wenige Augenblicke eine halbe Betäubung, eine Ahnung von Schlaf gefunden. In diesen Augenblicken hatte er einen Traum:

Kamala besaß in einem goldenen Käfig einen kleinen seltenen Singvogel. Von diesem Vogel träumte er. Er träumte: dieser Vogel war stumm geworden, der sonst stets in der Morgenstunde sang, und da dies ihm auffiel, trat er vor den Käfig und blickte hinein, da war der kleine Vogel tot und lag steif am Boden. Er nahm ihn heraus, wog ihn einen Augenblick in der Hand und warf ihn dann weg, auf die Gasse hinaus, und im

gleichen Augenblick erschrak er furchtbar, und das Herz tat ihm weh, so, als habe er mit diesem toten Vogel allen Wert und alles Gute von sich geworfen.
Aus diesem Traum auffahrend, fühlte er sich von tiefer Traurigkeit umfangen. Wertlos, so schien ihm, wertlos und sinnlos hatte er sein Leben dahingeführt; nichts Lebendiges, nichts irgendwie Köstliches oder Behaltenswertes war ihm in Händen geblieben. Allein stand er und leer, wie ein Schiffbrüchiger am Ufer.
Finster begab sich Siddhartha in einen Lustgarten, der ihm gehörte, verschloß die Pforte, setzte sich unter einem Mangobaum nieder, fühlte den Tod im Herzen und das Grauen in der Brust, saß und spürte, wie es in ihm starb, in ihm welkte, in ihm zu Ende ging. Allmählich sammelte er seine Gedanken und ging im Geiste nochmals den ganzen Weg seines Lebens, von den ersten Tagen an, auf welche er sich besinnen konnte. Wann denn hatte er ein Glück erlebt, eine wahre Wonne gefühlt? O ja, mehrere Male hatte er solches erlebt. In den Knabenjahren hatte er es gekostet, wenn er von den Brahmanen Lob errungen hatte, wenn er, den Altersgenossen weit voraus, sich mit dem Hersagen der heiligen Verse, im Disput mit den Gelehrten, als Gehilfe beim Opfer ausgezeichnet hatte. Da hatte er es in seinem Herzen gefühlt: »Ein Weg liegt vor dir, zu dem du berufen bist, auf dich warten die Götter.« Und wieder als Jüngling, da ihn das immer höher emporfliehende Ziel alles Nachdenkens aus der Schar Gleichstrebender heraus- und hinangerissen hatte, da er in Schmerzen um den Sinn des Brahman rang, da jedes erreichte Wissen nur neuen Durst in ihm entfachte, da wieder hatte er, mitten im Durst, mitten im Schmerze dieses selbe gefühlt: »Weiter! Weiter! Du bist berufen!« Diese Stimme hatte er vernommen, als er seine Heimat verlassen und das Leben des Samana gewählt hatte, und wieder, als er von den Samanas hinweg zu jenem Vollendeten, und auch von ihm hinweg ins Ungewisse gegangen war. Wie lange hatte er diese Stimme nicht mehr gehört, wie lange keine Höhe mehr erreicht, wie eben und öde war sein Weg

dahingegangen, viele lange Jahre, ohne hohes Ziel, ohne Durst, ohne Erhebung, mit kleinen Lüsten zufrieden und dennoch nie begnügt! Alle diese Jahre hatte er, ohne es selbst zu wissen, sich bemüht und danach gesehnt, ein Mensch wie diese vielen zu werden, wie diese Kinder, und dabei war sein Leben viel elender und ärmer gewesen als das ihre, denn ihre Ziele waren nicht die seinen, noch ihre Sorgen, diese ganze Welt der Kamaswami-Menschen war ihm ja nur ein Spiel gewesen, ein Tanz, dem man zusieht, eine Komödie. Einzig Kamala war ihm lieb, war ihm wertvoll gewesen – aber war sie es noch? Brauchte er sie noch, oder sie ihn? Spielten sie nicht ein Spiel ohne Ende? War es notwendig, dafür zu leben? Nein, es war nicht notwendig! Dieses Spiel hieß Sansara, ein Spiel für Kinder, ein Spiel, vielleicht hold zu spielen, einmal, zweimal, zehnmal – aber immer und immer wieder?

Da wußte Siddhartha, daß das Spiel zu Ende war, daß er es nicht mehr spielen könne. Ein Schauder lief ihm über den Leib, in seinem Innern, so fühlte er, war etwas gestorben.

Jenen ganzen Tag saß er unter dem Mangobaume, seines Vaters gedenkend, Govindas gedenkend, Gotamas gedenkend. Hatte er diese verlassen müssen, um ein Kamaswami zu werden? Er saß noch, als die Nacht angebrochen war. Als er aufschauend die Sterne erblickte, dachte er: »Hier sitze ich unter meinem Mangobaume, in meinem Lustgarten.« Er lächelte ein wenig – war es denn notwendig, war es richtig, war es nicht ein törichtes Spiel, daß er einen Mangobaum, daß er einen Garten besaß?

Auch damit schloß er ab, auch das starb in ihm. Er erhob sich, nahm Abschied vom Mangobaum, Abschied vom Lustgarten. Da er den Tag ohne Speise geblieben war, fühlte er heftigen Hunger und dachte an sein Haus in der Stadt, an sein Gemach und Bett, an den Tisch mit den Speisen. Er lächelte müde, schüttelte sich und nahm Abschied von diesen Dingen.

In derselben Nachtstunde verließ Siddhartha seinen Garten, verließ die Stadt und kam niemals wieder. Lange ließ Kamaswami nach ihm suchen, der ihn in Räuberhand gefallen glaub-

te. Kamala ließ nicht nach ihm suchen. Als sie erfuhr, daß Siddhartha verschwunden sei, wunderte sie sich nicht. Hatte sie es nicht immer erwartet? War er nicht ein Samana, ein Heimloser, ein Pilger? Und am meisten hatte sie dies beim letzten Zusammensein gefühlt, und sie freute sich mitten im Schmerz des Verlustes, daß sie ihn dieses letzte Mal noch so innig an ihr Herz gezogen, sich noch einmal so ganz von ihm besessen und durchdrungen gefühlt hatte.
Als sie die erste Nachricht von Siddharthas Verschwinden bekam, trat sie ans Fenster, wo sie in einem goldenen Käfig einen seltenen Singvogel gefangenhielt. Sie öffnete die Tür des Käfigs, nahm den Vogel heraus und ließ ihn fliegen. Lange sah sie ihm nach, dem fliegenden Vogel. Sie empfing von diesem Tage an keine Besucher mehr und hielt ihr Haus verschlossen. Nach einiger Zeit aber ward sie inne, daß sie von dem letzten Zusammensein mit Siddhartha schwanger sei.

Am Flusse

Siddhartha wanderte im Walde, schon fern von der Stadt, und wußte nichts als das eine, daß er nicht mehr zurückkonnte, daß dies Leben, wie er es nun viele Jahre lang geführt, vorüber und dahin und bis zum Ekel ausgekostet und ausgesogen war. Tot war der Singvogel, von dem er geträumt. Tot war der Vogel in seinem Herzen. Tief war er in Sansara verstrickt, Ekel und Tod hatte er von allen Seiten in sich eingesogen, wie ein Schwamm Wasser einsaugt, bis er voll ist. Voll war er von Überdruß, voll von Elend, voll von Tod, nichts mehr gab es in der Welt, das ihn locken, das ihn freuen, das ihn trösten konnte.

Sehnlich wünschte er, nichts mehr von sich zu wissen, Ruhe zu haben, tot zu sein. Käme doch ein Blitz und erschlüge ihn! Käme doch ein Tiger und fräße ihn! Gäbe es doch einen Wein, ein Gift, das ihm Betäubung brächte, Vergessen und Schlaf, und kein Erwachen mehr! Gab es denn noch irgendeinen Schmutz, mit dem er sich nicht beschmutzt hatte, eine Sünde und Torheit, die er nicht begangen, eine Seelenöde, die er nicht auf sich geladen hatte? War es denn noch möglich zu leben? War es möglich, nochmals und nochmals wieder Atem zu ziehen, Atem auszustoßen, Hunger zu fühlen, wieder zu essen, wieder zu schlafen, wieder beim Weibe zu liegen? War dieser Kreislauf nicht für ihn erschöpft und abgeschlossen?

Siddhartha gelangte an den großen Fluß im Walde, an denselben Fluß, über welchen ihn einst, als er noch ein junger Mann war und von der Stadt des Gotama kam, ein Fährmann geführt hatte. An diesem Flusse machte er halt, blieb zögernd beim Ufer stehen. Müdigkeit und Hunger hatten ihn geschwächt, und wozu auch sollte er weitergehen, wohin denn, zu welchem Ziel? Nein, es gab keine Ziele mehr, es gab nichts mehr als die tiefe, leidvolle Sehnsucht, diesen ganzen wüsten Traum von sich zu schütteln, diesen schalen Wein von sich zu speien, diesem jämmerlichen und schmachvollen Leben ein Ende zu machen.

Über das Flußufer hing ein Baum gebeugt, ein Kokosbaum, an dessen Stamm lehnte sich Siddhartha mit der Schulter, legte den Arm um den Stamm und blickte in das grüne Wasser hinab, das unter ihm zog und zog, blickte hinab und fand sich ganz und gar von dem Wunsche erfüllt, sich loszulassen und in diesem Wasser unterzugehen. Eine schauerliche Leere spiegelte ihm aus dem Wasser entgegen, welcher die furchtbare Leere in seiner Seele Antwort gab. Ja, er war am Ende. Nichts mehr gab es für ihn, als sich auszulöschen, als das mißlungene Gebilde seines Lebens zu zerschlagen, es wegzuwerfen, hohnlachenden Göttern vor die Füße. Dies war das große Erbrechen, nach dem er sich gesehnt hatte: der Tod, das Zerschlagen der Form, die er haßte! Mochten ihn die Fische fressen, diesen Hund von Siddhartha, diesen Irrsinnigen, diesen verdorbenen und verfaulten Leib, diese erschlaffte und mißbrauchte Seele! Mochten die Fische und Krokodile ihn fressen, mochten die Dämonen ihn zerstücken!

Mit verzerrtem Gesichte starrte er ins Wasser, sah sein Gesicht gespiegelt und spie danach. In tiefer Müdigkeit löste er den Arm vom Baumstamme und drehte sich ein wenig, um sich senkrecht hinabfallen zu lassen, um endlich unterzugehen. Er sank, mit geschlossenen Augen, dem Tod entgegen.

Da zuckte aus entlegenen Bezirken seiner Seele, aus Vergangenheiten seines ermüdeten Lebens her ein Klang. Es war ein Wort, eine Silbe, die er ohne Gedanken mit lallender Stimme vor sich hin sprach, das alte Anfangswort und Schlußwort aller brahmanischen Gebete, das heilige »Om«, das so viel bedeutet wie »das Vollkommene« oder »die Vollendung«. Und im Augenblick, da der Klang »Om« Siddharthas Ohr berührte, erwachte sein entschlummerter Geist plötzlich, und erkannte die Torheit seines Tuns.

Siddhartha erschrak tief. So also stand es um ihn, so verloren war er, so verirrt und von allem Wissen verlassen, daß er den Tod hatte suchen können, daß dieser Wunsch, dieser Kinderwunsch in ihm hatte groß werden können: Ruhe zu finden, indem er seinen Leib auslöschte! Was alle Qual dieser letzten Zeiten, alle Ernüchterung, alle Verzweiflung nicht bewirkt hatte, das bewirkte dieser Augenblick, da das Om in sein Bewußtsein drang: daß er sich in seinem Elend und in seinem Irrsal erkannte.

»Om!« sprach er vor sich hin: »Om!« Und wußte um Brahman, wußte um die Unzerstörbarkeit des Lebens, wußte um alles Göttliche wieder, das er vergessen hatte.

Doch war dies nur ein Augenblick, ein Blitz. Am Fuß des Kokosbaumes sank Siddhartha nieder, von der Ermüdung hingestreckt, Om murmelnd, legte sein Haupt auf die Wurzel des Baumes und sank in tiefen Schlaf.

Tief war sein Schlaf und frei von Träumen, seit langer Zeit hatte er einen solchen Schlaf nicht mehr gekannt. Als er nach manchen Stunden erwachte, war ihm, als seien zehn Jahre vergangen, er hörte das leise Strömen des Wassers, wußte nicht, wo er sei und wer ihn hierhergebracht habe, schlug die Augen auf, sah mit Verwunderung Bäume und Himmel über sich, und erinnerte sich, wo er wäre und wie er hierhergekommen sei. Doch bedurfte er hierzu einer langen Weile, und das Vergangene erschien ihm wie von einem Schleier überzogen, unendlich fern, unendlich weit weg gelegen, unendlich gleichgültig. Er wußte nur, daß er sein früheres Leben (im ersten Augenblick der Besinnung erschien ihm dieses frühere Leben wie eine weit zurückliegende, einstige Verkörperung, wie eine frühe Vorgeburt seines jetzigen Ich) – daß er sein früheres Leben verlassen habe, daß er voll Ekel und Elend sogar sein Leben habe wegwerfen wollen, daß er aber an einem Flusse, unter einem Kokosbaume, zu sich gekommen sei, das heilige Wort Om auf den Lippen, dann entschlummert sei, und nun erwacht als ein neuer Mensch in die Welt blicke. Leise sprach er das Wort Om vor sich hin, über welchem er eingeschlafen war, und ihm schien, sein ganzer langer Schlaf sei nichts als ein langes, versunkenes Om-Sprechen gewesen, ein Om-Denken, ein Untertauchen und völliges Eingehen in Om, in das Namenlose, Vollendete.

Was für ein wunderbarer Schlaf war dies doch gewesen! Niemals hatte ein Schlaf ihn so erfrischt, so erneut, so verjüngt! Vielleicht war er wirklich gestorben, war untergegangen und in einer neuen Gestalt wiedergeboren? Aber nein, er kannte sich, er kannte seine Hand und seine Füße, kannte den Ort, an dem er lag, kannte dies Ich in seiner Brust, diesen Siddhartha, den Eigenwilligen, den Seltsamen, aber dieser Siddhartha war dennoch verwandelt, war erneut, war merkwürdig ausgeschlafen, merkwürdig wach, freudig und neugierig.
Siddhartha richtete sich empor, da sah er sich gegenübe einen Menschen sitzen, einen fremden Mann, einen Mönch in gelbem Gewande mit rasiertem Kopfe, in der Stellung des Nachdenkens. Er betrachtete den Mann, der weder Haupthaar noch Bart an sich hatte, und nicht lange hatte er ihn betrachtet, da erkannte er in diesem Mönche Govinda, den Freund seiner Jugend, Govinda, der seine Zuflucht zum erhabenen Buddha genommen hatte. Govinda war gealtert, auch er, aber noch immer trug sein Gesicht die alten Züge, sprach von Eifer, von Treue, von Suchen, von Ängstlichkeit. Als nun aber Govinda, seinen Blick fühlend, das Auge aufschlug und ihn anschaute, sah Siddhartha, daß Govinda ihn nicht erkenne. Govinda freute sich, ihn wach zu finden, offenbar hatte er lange hier gesessen und auf sein Erwachen gewartet, obwohl er ihn nicht kannte.
»Ich habe geschlafen«, sagte Siddhartha. »Wie bist du denn hierhergekommen?«
»Du hast geschlafen«, antwortete Govinda. »Es ist nicht gut, an solchen Orten zu schlafen, wo häufig Schlangen sind und die Tiere des Waldes ihre Wege haben. Ich, o Herr, bin ein Jünger des erhabenen Gotama, des Buddha, des Sakyamuni, und bin mit einer Zahl der Unsrigen diesen Weg gepilgert, da sah ich dich liegen und schlafen an einem Orte, wo es gefährlich ist zu schlafen. Darum suchte ich dich zu wecken, o Herr, und da ich sah, daß dein Schlaf sehr tief war, blieb ich hinter den Meinigen zurück und saß bei dir. Und dann, so scheint es, bin ich selbst eingeschlafen, der ich deinen Schlaf bewa-

chen wollte. Schlecht habe ich meinen Dienst versehen, Müdigkeit hat mich übermannt. Aber nun, da du ja wach bist, laß mich gehen, damit ich meine Brüder einhole.«
»Ich danke dir, Samana, daß du meinen Schlaf behütet hast«, sprach Siddhartha. »Freundlich seid ihr Jünger des Erhabenen. Nun magst du denn gehen.«
»Ich gehe, Herr. Möge der Herr sich immer wohlbefinden.«
»Ich danke dir, Samana.«
Govinda machte das Zeichen des Grußes und sagte: »Lebe wohl.«
»Lebe wohl, Govinda«, sagte Siddhartha.
Der Mönch blieb stehen.
»Erlaube, Herr, woher kennst du meinen Namen?«
Da lächelte Siddhartha.
»Ich kenne dich, o Govinda, aus der Hütte deines Vaters, und aus der Brahmanenschule, und von den Opfern, und von unsrem Gang zu den Samanas, und von jener Stunde, da du im Hain Jetavana deine Zuflucht zum Erhabenen nahmest.«
»Du bist Siddhartha!« rief Govinda laut. »Jetzt erkenne ich dich, und begreife nicht mehr, wie ich dich nicht sogleich erkennen konnte. Sei willkommen, Siddhartha, groß ist meine Freude, dich wiederzusehen.«
»Auch mich erfreut es, dich wiederzusehen. Du bist der Wächter meines Schlafes gewesen, nochmals danke ich dir dafür, obwohl ich keines Wächters bedurft hätte. Wohin gehst du, o Freund?«
»Nirgendhin gehe ich. Immer sind wir Mönche unterwegs, solange nicht Regenzeit ist, immer ziehen wir von Ort zu Ort, leben nach der Regel, verkünden die Lehre, nehmen Almosen, ziehen weiter. Immer ist es so. Du aber, Siddhartha, wo gehst du hin?«
Sprach Siddhartha: »Auch mit mir steht es so, Freund, wie mit dir. Ich gehe nirgendhin. Ich bin nur unterwegs. Ich pilgere.«
Govinda sprach: »Du sagst, du pilgerst, und ich glaube dir. Doch verzeih, o Siddhartha, nicht wie ein Pilger siehst du aus. Du trägst das Kleid eines Reichen, du trägst die Schuhe eines

Vornehmen, und dein Haar, das nach wohlriechendem Wasser duftet, ist nicht das Haar eines Pilgers, nicht das Haar eines Samanas.«
»Wohl, Lieber, gut hast du beobachtet, alles sieht dein scharfes Auge. Doch habe ich nicht zu dir gesagt, daß ich ein Samana sei. Ich sagte: ich pilgere. Und so ist es: ich pilgere.«
»Du pilgerst«, sagte Govinda. »Aber wenige pilgern in solchem Kleide, wenige in solchen Schuhen, wenige mit solchen Haaren. Nie habe ich, der ich schon viele Jahre pilgere, solch einen Pilger angetroffen.«
»Ich glaube es dir, mein Govinda. Aber nun, heute, hast du eben einen solchen Pilger angetroffen, in solchen Schuhen, mit solchem Gewande. Erinnere dich, Lieber: Vergänglich ist die Welt der Gestaltungen, vergänglich, höchst vergänglich sind unsere Gewänder, und die Tracht unserer Haare, und unsere Haare und Körper selbst. Ich trage die Kleider eines Reichen, da hast du recht gesehen. Ich trage sie, denn ich bin ein Reicher gewesen, und trage das Haar wie die Weltleute und Lüstlinge, denn einer von ihnen bin ich gewesen.«
»Und jetzt, Siddhartha, was bist du jetzt?«
»Ich weiß es nicht, ich weiß es so wenig wie du. Ich bin unterwegs. Ich war ein Reicher und bin es nicht mehr; und was ich morgen sein werde, weiß ich nicht.«
»Du hast deinen Reichtum verloren?«
»Ich habe ihn verloren, oder er mich. Er ist mir abhanden gekommen. Schnell dreht sich das Rad der Gestaltungen, Govinda. Wo ist der Brahmane Siddhartha? Wo ist der Samana Siddhartha? Wo ist der Reiche Siddhartha? Schnell wechselt das Vergängliche, Govinda, du weißt es.«
Govinda blickte den Freund seiner Jugend lange an, Zweifel im Auge. Darauf grüßte er ihn, wie man Vornehme grüßt, und ging seines Weges.
Mit lächelndem Gesicht schaute Siddhartha ihm nach, er liebte ihn noch immer, diesen Treuen, diesen Ängstlichen. Und wie hätte er, in diesem Augenblick, in dieser herrlichen Stunde nach seinem wunderbaren Schlafe, durchdrungen von Om,

irgend jemand und irgend etwas nicht lieben sollen! Eben darin bestand die Verzauberung, welche im Schlafe und durch das Om in ihm geschehen war, daß er alles liebte, daß er voll froher Liebe war zu allem, was er sah. Und eben daran, so schien es ihm jetzt, war er vorher so sehr krank gewesen, daß er nichts und niemand hatte lieben können.
Mit lächelndem Gesichte schaute Siddhartha dem hinweggehenden Mönche nach. Der Schlaf hatte ihn sehr gestärkt, sehr aber quälte ihn der Hunger, denn er hatte nun zwei Tage nichts gegessen, und lange war die Zeit vorüber, da er hart gegen den Hunger gewesen war. Mit Kummer, und doch auch mit Lachen, gedachte er jener Zeit. Damals, so erinnerte er sich, hatte er sich vor Kamala dreier Dinge gerühmt, hatte drei edle und unüberwindliche Künste gekonnt: Fasten – Warten – Denken. Dies war sein Besitz gewesen, seine Macht und Kraft, sein fester Stab, in den fleißigen, mühseligen Jahren seiner Jugend hatte er diese drei Künste gelernt, nichts anderes. Und nun hatten sie ihn verlassen, keine von ihnen war mehr sein, nicht Fasten, nicht Warten, nicht Denken. Um das Elendeste hatte er sie hingegeben, um das Vergänglichste, um Sinnenlust, um Wohlleben, um Reichtum! Seltsam war es ihm in der Tat ergangen. Und jetzt, so schien es, jetzt war er wirklich ein Kindermensch geworden.
Siddhartha dachte über seine Lage nach. Schwer fiel ihm das Denken, er hatte im Grunde keine Lust dazu, doch zwang er sich.
Nun, dachte er, da alle diese vergänglichsten Dinge mir wieder entglitten sind, nun stehe ich wieder unter der Sonne, wie ich einst als kleines Kind gestanden bin, nichts ist mein, nichts kann ich, nichts vermag ich, nichts habe ich gelernt. Wie ist dies wunderlich! Jetzt, wo ich nicht mehr jung bin, wo meine Haare schon halb grau sind, wo die Kräfte nachlassen, jetzt fange ich wieder von vorn und beim Kinde an! Wieder mußte er lächeln. Ja, seltsam war sein Geschick! Es ging abwärts mit ihm, und nun stand er wieder leer und nackt und dumm in der Welt. Aber Kummer darüber konnte er nicht empfinden,

nein, er fühlte sogar großen Anreiz zum Lachen, zum Lachen über sich, zum Lachen über diese seltsame, törichte Welt.
»Abwärts geht es mit dir!« sagte er zu sich selber und lachte dazu, und wie er es sagte, fiel sein Blick auf den Fluß, und auch den Fluß sah er abwärts gehen, immer abwärts wandern, und dabei singen und fröhlich sein. Das gefiel ihm wohl, freundlich lächelte er dem Flusse zu. War dies nicht der Fluß, in welchem er sich hatte ertränken wollen, einst, vor hundert Jahren, oder hatte er das geträumt?
Wunderlich in der Tat war mein Leben, so dachte er, wunderliche Umwege hat es genommen. Als Knabe habe ich nur mit Göttern und Opfern zu tun gehabt. Als Jüngling habe ich nur mit Askese, mit Denken und Versenkung zu tun gehabt, war auf der Suche nach Brahman, verehrte das Ewige im Atman. Als junger Mann aber zog ich den Büßern nach, lebte im Walde, litt Hitze und Frost, lernte hungern, lehrte meinen Leib absterben. Wunderbar kam mir alsdann in der Lehre des großen Buddha Erkenntnis entgegen, ich fühlte Wissen um die Einheit der Welt in mir kreisen wie mein eigenes Blut. Aber auch von Buddha und von dem großen Wissen mußte ich wieder fort. Ich ging und lernte bei Kamala die Liebeslust, lernte bei Kamaswami den Handel, häufte Geld, vertat Geld, lernte meinen Magen lieben, lernte meinen Sinnen schmeicheln. Viele Jahre mußte ich damit hinbringen, den Geist zu verlieren, das Denken wieder zu verlernen, die Einheit zu vergessen. Ist es nicht so, als sei ich langsam und auf großen Umwegen aus einem Mann ein Kind geworden, aus einem Denker ein Kindermensch? Und doch ist dieser Weg sehr gut gewesen, und doch ist der Vogel in meiner Brust nicht gestorben. Aber welch ein Weg war das! Ich habe durch so viel Dummheit, durch so viel Laster, durch so viel Irrtum, durch so viel Ekel und Enttäuschung und Jammer hindurchgehen müssen, bloß um wieder ein Kind zu werden und neu anfangen zu können. Aber es war richtig so, mein Herz sagt ja dazu, meine Augen lachen dazu. Ich habe Verzweiflung erleben müssen, ich habe hinabsinken müssen bis zum törichtesten aller Ge-

danken, zum Gedanken des Selbstmordes, um Gnade erleben zu können, um wieder Om zu vernehmen, um wieder richtig schlafen und richtig erwachen zu können. Ich habe ein Tor werden müssen, um Atman wieder in mir zu finden. Ich habe sündigen müssen, um wieder leben zu können. Wohin noch mag mein Weg mich führen? Närrisch ist er, dieser Weg, er geht in Schleifen, er geht vielleicht im Kreise. Mag er gehen, wie er will, ich will ihn gehen.

Wunderbar fühlte er in seiner Brust die Freude wallen.

Woher denn, fragte er sein Herz, woher hast du diese Fröhlichkeit? Kommt sie wohl aus diesem langen, guten Schlafe her, der mir so sehr wohlgetan hat? Oder von dem Worte Om, das ich aussprach? Oder davon, daß ich entronnen bin, daß meine Flucht vollzogen ist, daß ich endlich wieder frei bin und wie ein Kind unter dem Himmel stehe? O wie gut ist dies Geflohensein, dies Freigewordensein! Wie rein und schön ist hier die Luft, wie gut zu atmen! Dort, von wo ich entlief, dort roch alles nach Salbe, nach Gewürzen, nach Wein, nach Überfluß, nach Trägheit. Wie haßte ich diese Welt der Reichen, der Schlemmer, der Spieler! Wie habe ich mich selbst gehaßt, daß ich so lang in dieser schrecklichen Welt geblieben bin! Wie habe ich mich gehaßt, habe mich beraubt, vergiftet, gepeinigt, habe mich alt und böse gemacht! Nein, nie mehr werde ich, wie ich es einst so gerne tat, mir einbilden, daß Siddhartha weise sei! Dies aber habe ich gut gemacht, dies gefällt mir, dies muß ich loben, daß es nun ein Ende hat mit jenem Haß gegen mich selber, mit jenem törichten und öden Leben! Ich lobe dich, Siddhartha, nach so viel Jahren der Torheit hast du wieder einmal einen Einfall gehabt, hast etwas getan, hast den Vogel in deiner Brust singen hören und bist ihm gefolgt!

So lobte er sich, hatte Freude an sich, hörte neugierig seinem Magen zu, der vor Hunger knurrte. Ein Stück Leid, ein Stück Elend hatte er nun, so fühlte er, in diesen letzten Zeiten und Tagen ganz und gar durchgekostet und ausgespien, bis zur Verzweiflung und bis zum Tode ausgefressen. So war es gut. Lange noch hätte er bei Kamaswami bleiben können, Geld erwerben, Geld vergeuden, seinen Bauch mästen und seine Seele verdursten lassen, lange noch hätte er in dieser sanften, wohlgepolsterten Hölle wohnen können, wäre dies nicht gekommen: der Augenblick der vollkommenen Trostlosigkeit und Verzweiflung, jener äußerste Augenblick, da er über dem strömenden Wasser hing und bereit war, sich zu vernichten. Daß er diese Verzweiflung, diesen tiefsten Ekel gefühlt hatte, und daß er ihm nicht erlegen war, daß der Vogel, die frohe Quelle und Stimme in ihm doch noch lebendig war, darüber fühlte er diese Freude, darüber lachte er, darüber strahlte sein Gesicht unter den ergrauten Haaren.

»Es ist gut«, dachte er, »alles selber zu kosten, was man zu wissen nötig hat. Daß Weltlust und Reichtum nicht vom Guten sind, habe ich schon als Kind gelernt. Gewußt habe ich es lange, erlebt habe ich es erst jetzt. Und nun weiß ich es, weiß es nicht nur mit dem Gedächtnis, sondern mit meinen Augen, mit meinem Herzen, mit meinem Magen. Wohl mir, daß ich es weiß!«

Lange sann er nach über seine Verwandlung, lauschte dem Vogel, wie er vor Freude sang. War nicht dieser Vogel in ihm gestorben, hatte er nicht seinen Tod gefühlt? Nein, etwas anderes in ihm war gestorben, etwas, das schon lange sich nach Sterben gesehnt hatte. War es nicht das, was er einst in seinen glühenden Büßerjahren hatte abtöten wollen? War es nicht sein Ich, sein kleines, banges und stolzes Ich, mit dem er so viele Jahre gekämpft hatte, das ihn immer wieder besiegt hatte, das nach jeder Abtötung wieder da war, Freude verbot, Furcht empfand? War es nicht dies, was heute endlich seinen Tod gefunden hatte, hier im Walde an diesem lieblichen Flusse? War es nicht dieses Todes wegen, daß er jetzt wie ein Kind war, so voll Vertrauen, so ohne Furcht, so voll Freude?

Nun auch ahnte Siddhartha, warum er als Brahmane, als Büßer vergeblich mit diesem Ich gekämpft hatte. Zu viel Wissen hatte ihn gehindert, zu viel heilige Verse, zu viel Opferregeln, zu viel Kasteiung, zu viel Tun und Streben! Voll Hochmut war er gewesen, immer der Klügste, immer der Eifrigste, immer allen um einen Schritt voran, immer der Wissende und Geistige, immer der Priester oder Weise. In dies Priestertum, in diesen Hochmut, in diese Geistigkeit hinein hatte sein Ich sich verkrochen, dort saß es fest und wuchs, während er es mit Fasten und Buße zu töten meinte. Nun sah er es, und sah, daß die heimliche Stimme recht gehabt hatte, daß kein Lehrer ihn je hätte erlösen können. Darum hatte er in die Welt gehen müssen, sich an Lust und Macht, an Weib und Geld verlieren müssen, hatte ein Händler, ein Würfelspieler, Trinker und Habgieriger werden müssen, bis der Priester und Samana in ihm tot war. Darum hatte er weiter diese häßlichen Jahre ertragen müssen, den Ekel ertragen, die Leere, die Sinnlosigkeit eines öden und verlorenen Lebens, bis zum Ende, bis zur bitteren Verzweiflung, bis auch der Lüstling Siddhartha, der Habgierige Siddhartha sterben konnte. Er war gestorben, ein neuer Siddhartha war aus dem Schlaf erwacht. Auch er würde alt werden, auch er würde einst sterben müssen, vergänglich war Siddhartha, vergänglich war jede Gestaltung. Heute aber war er jung, war ein Kind, der neue Siddhartha, und war voll Freude.

Diese Gedanken dachte er, lauschte lächelnd auf seinen Magen, hörte dankbar einer summenden Biene zu. Heiter blickte er in den strömenden Fluß, nie hatte ihm ein Wasser so wohl gefallen wie dieses, nie hatte er Stimme und Gleichnis des ziehenden Wassers so stark und schön vernommen. Ihm schien, es habe der Fluß ihm etwas Besonderes zu sagen, etwas, das er noch nicht wisse, das noch auf ihn warte. In diesem Fluß hatte sich Siddhartha ertränken wollen, in ihm war der alte, müde, verzweifelte Siddhartha heute ertrunken. Der neue Siddhartha aber fühlte eine tiefe Liebe zu diesem strömenden Wasser und beschloß bei sich, es nicht so bald wieder zu verlassen.

Der Fährmann

An diesem Fluß will ich bleiben, dachte Siddhartha, es ist derselbe, über den ich einstmals auf dem Wege zu den Kindermenschen gekommen bin, ein freundlicher Fährmann hat mich damals geführt, zu ihm will ich gehen, von seiner Hütte aus führte mich einst mein Weg in ein neues Leben, das nun alt geworden und tot ist – möge auch mein jetziger Weg, mein jetziges neues Leben dort seinen Ausgang nehmen!
Zärtlich blickte er in das strömende Wasser, in das durchsichtige Grün, in die kristallenen Linien seiner geheimnisreichen Zeichnung. Lichte Perlen sah er aus der Tiefe steigen, stille Luftblasen auf dem Spiegel schwimmen, Himmelsbläue darin abgebildet. Mit tausend Augen blickte der Fluß ihn an, mit grünen, mit weißen, mit kristallnen, mit himmelblauen. Wie liebte er dies Wasser, wie entzückte es ihn, wie war er ihm dankbar! Im Herzen hörte er die Stimme sprechen, die neu erwachte, und sie sagte ihm: Liebe dies Wasser! Bleibe bei ihm! Lerne von ihm! O ja, er wollte von ihm lernen, er wollte ihm zuhören. Wer dies Wasser und seine Geheimnisse verstünde, so schien ihm, der würde auch viel anderes verstehen, viele Geheimnisse, alle Geheimnisse.
Von den Geheimnissen des Flusses aber sah er heute nur eines, das ergriff seine Seele. Er sah: dies Wasser lief und lief, immerzu lief es, und war doch immer da, war immer und allezeit dasselbe und doch jeden Augenblick neu! O wer dies faßte, dies verstünde! Er verstand und faßte es nicht, fühlte nur Ahnung sich regen, ferne Erinnerung, göttliche Stimmen.
Siddhartha erhob sich, unerträglich wurde das Treiben des Hungers in seinem Leibe. Hingenommen wanderte er weiter, den Uferpfad hinan, dem Strom entgegen, lauschte auf die Strömung, lauschte auf den knurrenden Hunger in seinem Leibe.

Als er die Fähre erreichte, lag eben das Boot bereit, und derselbe Fährmann, welcher einst den jungen Samana über den Fluß gesetzt hatte, stand im Boot, Siddhartha erkannte ihn wieder, auch er war stark gealtert.
»Willst du mich übersetzen?« fragte er.
Der Fährmann, erstaunt, einen so vornehmen Mann allein und zu Fuße wandern zu sehen, nahm ihn ins Boot und stieß ab.
»Ein schönes Leben hast du dir erwählt«, sprach der Gast.
»Schön muß es sein, jeden Tag an diesem Wasser zu leben und auf ihm zu fahren.«
Lächelnd wiegte sich der Ruderer: »Es ist schön, Herr, es ist, wie du sagst. Aber ist nicht jedes Leben, ist nicht jede Arbeit schön?«
»Es mag wohl sein. Dich aber beneide ich um die deine.«
»Ach, du möchtest bald die Lust an ihr verlieren. Das ist nichts für Leute in feinen Kleidern.«
Siddhartha lachte. »Schon einmal bin ich heute um meiner Kleider willen betrachtet worden, mit Mißtrauen betrachtet. Willst du nicht, Fährmann, diese Kleider, die mir lästig sind, von mir annehmen? Denn du mußt wissen, ich habe kein Geld, dir einen Fährlohn zu zahlen.«
»Der Herr scherzt«, lachte der Fährmann.
»Ich scherze nicht, Freund. Sieh, schon einmal hast du mich in deinem Boot über dies Wasser gefahren, um Gotteslohn. So tue es auch heute, und nimm meine Kleider dafür an.«
»Und will der Herr ohne Kleider weiterreisen?«
»Ach, am liebsten wollte ich gar nicht weiterreisen. Am liebsten wäre es mir, Fährmann, wenn du mir eine alte Schürze gäbest und behieltest mich als deinen Gehilfen bei dir, vielmehr als deinen Lehrling, denn erst muß ich lernen, mit dem Boot umzugehen.«
Lange blickte der Fährmann den Fremden an, suchend.
»Jetzt erkenne ich dich«, sagte er endlich. »Einst hast du in meiner Hütte geschlafen, lange ist es her, wohl mehr als zwanzig Jahre mag das her sein, und bist von mir über den Fluß gebracht worden, und wir nahmen Abschied voneinander wie

gute Freunde. Warst du nicht ein Samana? Deines Namens kann ich mich nicht mehr entsinnen.«
»Ich heiße Siddhartha, und ich war ein Samana, als du mich zuletzt gesehen hast.«
»So sei willkommen, Siddhartha. Ich heiße Vasudeva. Du wirst, so hoffe ich, auch heute mein Gast sein und in meiner Hütte schlafen, und mir erzählen, woher du kommst, und warum deine schönen Kleider dir so lästig sind.«
Sie waren in die Mitte des Flusses gelangt, und Vasudeva legte sich stärker ins Ruder, um gegen die Strömung anzukommen. Ruhig arbeitete er, den Blick auf der Bootsspitze, mit kräftigen Armen. Siddhartha saß und sah ihm zu, und erinnerte sich, wie schon einstmals, an jenem letzten Tage seiner Samana-Zeit, Liebe zu diesem Manne sich in seinem Herzen geregt hatte. Dankbar nahm er Vasudevas Einladung an. Als sie am Ufer anlegten, half er ihm das Boot an den Pflöcken festbinden, darauf bat ihn der Fährmann, in die Hütte zu treten, bot ihm Brot und Wasser, und Siddhartha aß mit Lust, und aß mit Lust auch von den Mangofrüchten, die ihm Vasudeva anbot. Danach setzten sie sich, es ging gegen Sonnenuntergang, auf einen Baumstamm am Ufer, und Siddhartha erzählte dem Fährmann seine Herkunft und sein Leben, wie er es heute, in jener Stunde der Verzweiflung, vor seinen Augen gesehen hatte. Bis tief in die Nacht währte sein Erzählen.
Vasudeva hörte mit großer Aufmerksamkeit zu. Alles nahm er lauschend in sich auf, Herkunft und Kindheit, all das Lernen, all das Suchen, alle Freude, alle Not. Dies war unter des Fährmanns Tugenden eine der größten: er verstand wie wenige das Zuhören. Ohne daß er ein Wort gesprochen hätte, empfand der Sprechende, wie Vasudeva seine Worte in sich einließ, still, offen, wartend, wie er keines verlor, keines mit Ungeduld erwartete, nicht Lob noch Tadel daneben stellte, nur zuhörte. Siddhartha empfand, welches Glück es ist, einem solchen Zuhörer sich zu bekennen, in sein Herz das eigene Leben zu versenken, das eigene Suchen, das eigene Leiden.
Gegen das Ende von Siddharthas Erzählung aber, als er von

dem Baum am Flusse sprach und von seinem tiefen Fall, vom heiligen Om, und wie er nach seinem Schlummer eine solche Liebe zu dem Flusse gefühlt hatte, da lauschte der Fährmann mit verdoppelter Aufmerksamkeit, ganz und völlig hingegeben, mit geschloßnem Auge.

Als aber Siddhartha schwieg und eine lange Stille gewesen war, da sagte Vasudeva: »Es ist so, wie ich dachte. Der Fluß hat zu dir gesprochen. Auch dir ist er Freund, auch zu dir spricht er. Das ist gut, das ist sehr gut. Bleibe bei mir, Siddhartha, mein Freund. Ich hatte einst eine Frau, ihr Lager war neben dem meinen, doch ist sie schon lange gestorben, lange habe ich allein gelebt. Lebe nun du mit mir, es ist Raum und Essen für beide vorhanden.«

»Ich danke dir«, sagte Siddhartha, »ich danke dir und nehme an. Und auch dafür danke ich dir, Vasudeva, daß du mir so gut zugehört hast! Selten sind die Menschen, welche das Zuhören verstehen, und keinen traf ich, der es verstand wie du. Auch hierin werde ich von dir lernen.«

»Du wirst es lernen«, sprach Vasudeva, »aber nicht von mir. Das Zuhören hat mich der Fluß gelehrt, von ihm wirst auch du es lernen. Er weiß alles, der Fluß, alles kann man von ihm lernen. Sieh, auch das hast du schon vom Wasser gelernt, daß es gut ist, nach unten zu streben, zu sinken, die Tiefe zu suchen. Der reiche und vornehme Siddhartha wird ein Ruderknecht, der gelehrte Brahmane Siddhartha wird ein Fährmann: auch dies ist dir vom Fluß gesagt worden. Du wirst auch das andere von ihm lernen.«

Sprach Siddhartha, nach einer langen Pause: »Welches andere, Vasudeva?«

Vasudeva erhob sich. »Spät ist es geworden«, sagte er, »laß uns schlafen gehen. Ich kann dir das ›andere‹ nicht sagen, o Freund. Du wirst es lernen, vielleicht auch weißt du es schon. Sieh, ich bin kein Gelehrter, ich verstehe nicht zu sprechen, ich verstehe auch nicht zu denken. Ich verstehe nur zuzuhören und fromm zu sein, sonst habe ich nichts gelernt. Könnte ich es sagen und lehren, so wäre ich vielleicht ein Weiser, so aber bin ich nur ein Fährmann, und meine Aufgabe ist es, Menschen über diesen Fluß zu setzen. Viele habe ich übergesetzt, Tausende, und ihnen allen ist mein Fluß nichts anderes gewesen als ein Hindernis auf ihren Reisen. Sie reisten nach Geld und Geschäften, und zu Hochzeiten, und zu Wallfahrten, und der Fluß war ihnen im Wege, und der Fährmann war dazu da, sie schnell über das Hindernis hinwegzubringen. Einige unter den Tausenden aber, einige wenige, vier oder fünf, denen hat der Fluß aufgehört, ein Hindernis zu sein, sie haben seine Stimme gehört, sie haben ihm zugehört, und der Fluß ist ihnen heilig geworden, wie er es mir geworden ist. Laß uns nun zur Ruhe gehen, Siddhartha.«

Siddhartha blieb bei dem Fährmann und lernte das Boot bedienen, und wenn nichts an der Fähre zu tun war, arbeitete er mit Vasudeva im Reisfelde, sammelte Holz, pflückte die Früchte der Pisangbäume. Er lernte ein Ruder zimmern, und lernte das Boot ausbessern, und Körbe flechten, und war fröhlich über alles, was er lernte, und die Tage und Monate liefen schnell hinweg. Mehr aber, als Vasudeva ihn lehren konnte, lehrte ihn der Fluß. Von ihm lernte er unaufhörlich. Vor allem lernte er von ihm das Zuhören, das Lauschen mit stillem Herzen, mit wartender, geöffneter Seele, ohne Leidenschaft, ohne Wunsch, ohne Urteil, ohne Meinung.

Freundlich lebte er neben Vasudeva, und zuweilen tauschten sie Worte miteinander, wenige und lang bedachte Worte. Vasudeva war kein Freund der Worte, selten gelang es Siddhartha, ihn zum Sprechen zu bewegen.

»Hast du«, so fragte er ihn einst, »hast auch du vom Flusse jenes Geheime gelernt: daß es keine Zeit gibt?«

Vasudevas Gesicht überzog sich mit hellem Lächeln.

»Ja, Siddhartha«, sprach er. »Es ist doch dieses, was du meinst: daß der Fluß überall zugleich ist, am Ursprung und an der Mündung, am Wasserfall, an der Fähre, an der Stromschnelle, im Meer, im Gebirge, überall zugleich, und daß es für ihn nur Gegenwart gibt, nicht den Schatten Vergangenheit, nicht den Schatten Zukunft?«

»Dies ist es«, sagte Siddhartha. »Und als ich es gelernt hatte, da sah ich mein Leben an, und es war auch ein Fluß, und es war der Knabe Siddhartha vom Manne Siddhartha und vom Greis Siddhartha nur durch Schatten getrennt, nicht durch Wirkliches. Es waren auch Siddharthas frühere Geburten keine Vergangenheit, und sein Tod und seine Rückkehr zu Brahma keine Zukunft. Nichts war, nichts wird sein; alles ist, alles hat Wesen und Gegenwart.«

Siddhartha sprach mit Entzücken, tief hatte diese Erleuchtung ihn beglückt. Oh, war denn nicht alles Leiden Zeit, war nicht alles Sichquälen und Sichfürchten Zeit, war nicht alles Schwere, alles Feindliche in der Welt weg und überwunden, sobald man die Zeit überwunden hatte, sobald man die Zeit wegdenken konnte? Entzückt hatte er gesprochen, Vasudeva aber lächelte ihn strahlend an und nickte Bestätigung, schweigend nickte er, strich mit der Hand über Siddharthas Schulter, wandte sich zu seiner Arbeit zurück.

Und wieder einmal, als eben der Fluß in der Regenzeit geschwollen war und mächtig rauschte, da sagte Siddhartha: »Nicht wahr, o Freund, der Fluß hat so viele Stimmen, sehr viele Stimmen? Hat er nicht die Stimme eines Königs, und eines Kriegers, und eines Stieres, und eines Nachtvogels, und einer Gebärenden, und eines Seufzenden, und noch tausend andere Stimmen?«

»Es ist so«, nickte Vasudeva, »alle Stimmen der Geschöpfe sind in seiner Stimme.«

»Und weißt du«, fuhr Siddhartha fort, »welches Wort er spricht, wenn es dir gelingt, alle seine zehntausend Stimmen zugleich zu hören?«

Glücklich lachte Vasudevas Gesicht, er neigte sich gegen Siddhartha und sprach ihm das heilige Om ins Ohr. Und eben dies war es, was auch Siddhartha gehört hatte.

Und von Mal zu Mal ward sein Lächeln dem des Fährmanns ähnlicher, ward beinahe ebenso strahlend, beinahe ebenso von Glück durchglänzt, ebenso aus tausend kleinen Falten leuchtend, ebenso kindlich, ebenso greisenhaft. Viele Reisende, wenn sie die beiden Fährmänner sahen, hielten sie für Brüder. Oft saßen sie am Abend gemeinsam beim Ufer auf dem Baumstamm, schwiegen und hörten beide dem Wasser zu, welches für sie kein Wasser war, sondern die Stimme des Lebens, die Stimme des Seienden, des ewig Werdenden. Und es geschah zuweilen, daß beide beim Anhören des Flusses an dieselben Dinge dachten, an ein Gespräch von vorgestern, an einen ihrer Reisenden, dessen Gesicht und Schicksal sie beschäftigte, an den Tod, an ihre Kindheit, und daß sie beide im selben Augenblick, wenn der Fluß ihnen etwas Gutes gesagt hatte, einander anblickten, beide genau dasselbe denkend, beide beglückt über dieselbe Antwort auf dieselbe Frage.

Es ging von der Fähre und von den beiden Fährleuten etwas aus, das manche von den Reisenden spürten. Es geschah zuweilen, daß ein Reisender, nachdem er in das Gesicht eines der Fährmänner geblickt hatte, sein Leben zu erzählen begann, Leid erzählte, Böses bekannte, Trost und Rat erbat. Es geschah zuweilen, daß einer um Erlaubnis bat, einen Abend bei ihnen zu verweilen, um dem Flusse zuzuhören. Es geschah auch, daß Neugierige kamen, welchen erzählt worden war, an dieser Fähre lebten zwei Weise oder Zauberer oder Heilige. Die Neugierigen stellten viele Fragen, aber sie bekamen keine Antworten, und sie fanden weder Zauberer noch Weise, sie fanden nur zwei alte freundliche Männlein, welche stumm zu sein und etwas sonderbar und verblödet schienen. Und die Neugierigen lachten und unterhielten sich darüber, wie töricht und leichtgläubig doch das Volk solche leere Gerüchte verbreite.

Die Jahre gingen hin, und keiner zählte sie. Da kamen einst Mönche gepilgert, Anhänger des Gotama, des Buddha, welche baten, sie über den Fluß zu setzen, und von ihnen erfuhren die Fährmänner, daß sie eiligst zu ihrem großen Lehrer zurückwanderten, denn es habe sich die Nachricht verbreitet, der Erhabene sei todkrank und werde bald seinen letzten Menschentod sterben, um zur Erlösung einzugehen. Nicht lange, so kam eine neue Schar Mönche gepilgert, und wieder eine, und sowohl die Mönche wie die meisten der übrigen Reisenden und Wanderer sprachen von nichts anderem als von Gotama und seinem nahen Tode. Und wie zu einem Kriegszug oder zur Krönung eines Königs von überall und allen Seiten her die Menschen strömen und sich gleich Ameisen in Scharen sammeln, so strömten sie, wie von einem Zauber gezogen, dahin, wo der große Buddha seinen Tod erwartete, wo das Ungeheure geschehen und der große Vollendete eines Weltalters zur Herrlichkeit eingehen sollte.

Viel gedachte Siddhartha in dieser Zeit des sterbenden Weisen, des großen Lehrers, dessen Stimme Völker ermahnt und Hunderttausende erweckt hatte, dessen Stimme auch er einst vernommen, dessen heiliges Antlitz auch er einst mit Ehrfurcht geschaut hatte. Freundlich gedachte er seiner, sah seinen Weg der Vollendung vor Augen und erinnerte sich mit Lächeln der Worte, welche er einst als junger Mann an ihn, den Erhabenen, gerichtet hatte. Es waren, so schien ihm, stolze und altkluge Worte gewesen, lächelnd erinnerte er sich ihrer. Längst wußte er sich nicht mehr von Gotama getrennt, dessen Lehre er doch nicht hatte annehmen können. Nein, keine Lehre konnte ein wahrhaft Suchender annehmen, einer, der wahrhaft finden wollte. Der aber, der gefunden hat, der konnte jede, jede Lehre gutheißen, jeden Weg, jedes Ziel, ihn trennte nichts mehr von all den tausend anderen, welche im Ewigen lebten, welche das Göttliche atmeten.

An einem dieser Tage, da so viele zum sterbenden Buddha pilgerten, pilgerte zu ihm auch Kamala, einst die schönste der Kurtisanen. Längst hatte sie sich aus ihrem vorigen Leben zurückgezogen, hatte ihren Garten den Mönchen Gotamas geschenkt, hatte ihre Zuflucht zur Lehre genommen, gehörte zu den Freundinnen und Wohltäterinnen der Pilgernden. Zusammen mit dem Knaben Siddhartha, ihrem Sohne, hatte sie auf die Nachricht vom nahen Tode Gotamas hin sich auf den Weg gemacht, in einfachem Kleide, zu Fuß. Mit ihrem Söhnlein war sie am Flusse unterwegs; der Knabe aber war bald ermüdet, begehrte nach Hause zurück, begehrte zu rasten, begehrte zu essen, wurde trotzig und weinerlich. Kamala mußte häufig mit ihm rasten, er war gewohnt, seinen Willen gegen sie zu behaupten, sie mußte ihn füttern, mußte ihn trösten, mußte ihn schelten. Er begriff nicht, warum er mit seiner Mutter diese mühsame und traurige Pilgerschaft habe antreten müssen, an einen unbekannten Ort, zu einem fremden Manne, welcher heilig war und welcher im Sterben lag. Mochte er sterben, was ging dies den Knaben an?

Die Pilgernden waren nicht mehr ferne von Vasudevas Fähre, als der kleine Siddhartha abermals seine Mutter zu einer Rast nötigte. Auch sie selbst, Kamala, war ermüdet, und während der Knabe an einer Banane kaute, kauerte sie sich am Boden nieder, schloß ein wenig die Augen und ruhte. Plötzlich aber stieß sie einen klagenden Schrei aus, der Knabe sah sie erschrocken an und sah ihr Gesicht von Entsetzen gebleicht, und unter ihrem Kleide hervor entwich eine kleine schwarze Schlange, von welcher Kamala gebissen war.

Eilig liefen sie nun beide des Weges, um zu Menschen zu kommen, und kamen bis in die Nähe der Fähre, dort sank Kamala zusammen und vermochte nicht weiterzugehen. Der Knabe aber erhob ein klägliches Geschrei, dazwischen küßte und umhalste er seine Mutter, und auch sie stimmte in seine lauten Hilferufe ein, bis die Töne Vasudevas Ohr erreichten, der bei der Fähre stand. Schnell kam er gegangen, nahm die Frau auf die Arme, trug sie ins Boot, der Knabe lief mit, und bald kamen sie alle in der Hütte an, wo Siddhartha am Herde stand und eben Feuer machte. Er blickte auf und sah zuerst das Gesicht des Knaben, das ihn wunderlich erinnerte, an Vergessenes mahnte. Dann sah er Kamala, die er alsbald erkannte, obwohl sie besinnungslos im Arm des Fährmanns lag, und nun wußte er, daß es sein eigener Sohn sei, dessen Gesicht ihn so sehr gemahnt hatte, und das Herz bewegte sich in seiner Brust.

Kamalas Wunde wurde gewaschen, war aber schon schwarz und ihr Leib angeschwollen, ein Heiltrank wurde ihr eingeflößt. Ihr Bewußtsein kehrte zurück, sie lag auf Siddharthas

Lager in der Hütte, und über sie gebeugt stand Siddhartha, der sie einst so sehr geliebt hatte. Es schien ihr ein Traum zu sein, lächelnd blickte sie in ihres Freundes Gesicht, nur langsam erkannte sie ihre Lage, erinnerte sich des Bisses, rief ängstlich nach dem Knaben.

»Er ist bei dir, sei ohne Sorge«, sagte Siddhartha.

Kamala blickte in seine Augen. Sie sprach mit schwerer Zunge, vom Gift gelähmt. »Du bist alt geworden, Lieber«, sagte sie, »grau bist du geworden. Aber du gleichst dem jungen Samana, der einst ohne Kleider mit staubigen Füßen zu mir in den Garten kam. Du gleichst ihm viel mehr, als du ihm damals glichest, da du mich und Kamaswami verlassen hast. In den Augen gleichst du ihm, Siddhartha. Ach, auch ich bin alt geworden, alt – kanntest du mich denn noch?«

Siddhartha lächelte: »Sogleich kannte ich dich, Kamala, Liebe.«

Kamala deutete auf ihren Knaben und sagte: »Kanntest du auch ihn? Er ist dein Sohn.«

Ihre Augen wurden irr und fielen zu. Der Knabe weinte, Siddhartha nahm ihn auf seine Knie, ließ ihn weinen, streichelte sein Haar, und beim Anblick des Kindergesichtes fiel ein brahmanisches Gebet ihm ein, das er einst gelernt hatte, als er selbst ein kleiner Knabe war. Langsam, mit singender Stimme, begann er es zu sprechen, aus der Vergangenheit und Kindheit her kamen ihm die Worte geflossen. Und unter seinem Singsang wurde der Knabe ruhig, schluchzte noch hin und wieder auf und schlief ein. Siddhartha legte ihn auf Vasudevas Lager. Vasudeva stand am Herd und kochte Reis. Siddhartha warf ihm einen Blick zu, den er lächelnd erwiderte.

»Sie wird sterben«, sagte Siddhartha leise.

Vasudeva nickte, über sein freundliches Gesicht lief der Feuerschein vom Herde.

Nochmals erwachte Kamala zum Bewußtsein. Schmerz verzog ihr Gesicht, Siddharthas Auge las das Leiden auf ihrem Munde, auf ihren erblaßten Wangen. Stille las er es, aufmerksam, wartend, in ihr Leiden versenkt. Kamala fühlte es, ihr Blick suchte sein Auge.

Ihn anblickend, sagte sie: »Nun sehe ich, daß auch deine Augen sich verändert haben. Ganz anders sind sie geworden. Woran doch erkenne ich noch, daß du Siddhartha bist? Du bist es, und bist es nicht.«
Siddhartha sprach nicht, still blickten seine Augen in die ihren.
»Du hast es erreicht?« fragte sie. »Du hast Friede gefunden?«
Er lächelte und legte seine Hand auf ihre.
»Ich sehe es«, sagte sie, »ich sehe es. Auch ich werde Friede finden.«
»Du hast ihn gefunden«, sprach Siddhartha flüsternd.
Kamala blickte ihm unverwandt in die Augen. Sie dachte daran, daß sie zu Gotama hatte pilgern wollen, um das Gesicht eines Vollendeten zu sehen, um seinen Frieden zu atmen, und daß sie statt seiner nun ihn gefunden, und daß es gut war, ebensogut, als wenn sie jenen gesehen hätte. Sie wollte es ihm sagen, aber die Zunge gehorchte ihrem Willen nicht mehr. Schweigend sah sie ihn an, und er sah in ihren Augen das Leben erlöschen. Als der letzte Schmerz ihr Auge erfüllte und brach, als der letzte Schauder über ihre Glieder lief, schloß sein Finger ihre Lider.
Lange saß er und blickte auf ihr entschlafenes Gesicht. Lange betrachtete er ihren Mund, ihren alten, müden Mund mit den schmal gewordenen Lippen, und erinnerte sich, daß er einst, im Frühling seiner Jahre, diesen Mund einer frisch aufgebrochenen Feige verglichen hatte. Lange saß er, las in dem bleichen Gesicht, in den müden Falten, füllte sich mit dem Anblick, sah sein eigenes Gesicht ebenso liegen, ebenso weiß, ebenso erloschen, und sah zugleich sein Gesicht und das ihre jung, mit den roten Lippen, mit dem brennenden Auge, und das Gefühl der Gegenwart und Gleichzeitigkeit durchdrang ihn völlig, das Gefühl der Ewigkeit. Tief empfand er, tiefer als jemals, in dieser Stunde die Unzerstörbarkeit jedes Lebens, die Ewigkeit jedes Augenblicks.
Da er sich erhob, hatte Vasudeva Reis für ihn bereitet. Doch aß Siddhartha nicht. Im Stall, wo ihre Ziege stand, machten

sich die beiden Alten eine Streu zurecht, und Vasudeva legte sich schlafen. Siddhartha aber ging hinaus und saß die Nacht vor der Hütte, dem Flusse lauschend, von Vergangenheit umspült, von allen Zeiten seines Lebens zugleich berührt und umfangen. Zuweilen aber erhob er sich, trat an die Hüttentür und lauschte, ob der Knabe schlafe.
Früh am Morgen, noch ehe die Sonne sichtbar ward, kam Vasudeva aus dem Stalle und trat zu seinem Freunde.
»Du hast nicht geschlafen«, sagte er.
»Nein, Vasudeva. Ich saß hier, ich hörte dem Flusse zu. Viel hat er mir gesagt, tief hat er mich mit dem heilsamen Gedanken erfüllt, mit dem Gedanken der Einheit.«
»Du hast Leid erfahren, Siddhartha, doch ich sehe, es ist keine Traurigkeit in dein Herz gekommen.«
»Nein, Lieber, wie sollte ich denn traurig sein? Ich, der ich reich und glücklich war, bin jetzt noch reicher und glücklicher geworden. Mein Sohn ist mir geschenkt worden.«
»Willkommen sei dein Sohn auch mir. Nun aber, Siddhartha, laß uns an die Arbeit gehen, viel ist zu tun. Auf demselben Lager ist Kamala gestorben, auf welchem einst mein Weib gestorben ist. Auf demselben Hügel auch wollen wir Kamalas Scheiterhaufen bauen, auf welchem ich einst meines Weibes Scheiterhaufen gebaut habe.«
Während der Knabe noch schlief, bauten sie den Scheiterhaufen.

Der Sohn

Scheu und weinend hatte der Knabe der Bestattung seiner Mutter beigewohnt, finster und scheu hatte er Siddhartha angehört, der ihn als seinen Sohn begrüßte und ihn bei sich in Vasudevas Hütte willkommen hieß. Bleich saß er tagelang am Hügel der Toten, mochte nicht essen, verschloß seinen Blick, verschloß sein Herz, wehrte und sträubte sich gegen das Schicksal.
Siddhartha schonte ihn und ließ ihn gewähren, er ehrte seine Trauer. Siddhartha verstand, daß sein Sohn ihn nicht kenne, daß er ihn nicht lieben könne wie einen Vater. Langsam sah und verstand er auch, daß der Elfjährige ein verwöhnter Knabe war, ein Mutterkind, und in Gewohnheiten des Reichtums aufgewachsen, gewohnt an feinere Speisen, an ein weiches Bett, gewohnt, Dienern zu befehlen. Siddhartha verstand, daß der Trauernde und Verwöhnte nicht plötzlich und gutwillig in der Fremde und Armut sich zufriedengeben könne. Er zwang ihn nicht, er tat manche Arbeit für ihn, suchte stets den besten Bissen für ihn aus. Langsam hoffte er, ihn zu gewinnen, durch freundliche Geduld.
Reich und glücklich hatte er sich genannt, als der Knabe zu ihm gekommen war. Da indessen die Zeit hinfloß, und der Knabe fremd und finster blieb, da er ein stolzes und trotziges Herz zeigte, keine Arbeit tun wollte, den Alten keine Ehrfurcht erwies, Vasudevas Fruchtbäume beraubte, da begann Siddhartha zu verstehen, daß mit seinem Sohne nicht Glück und Friede zu ihm gekommen war, sondern Leid und Sorge. Aber er liebte ihn, und lieber war ihm Leid und Sorge der Liebe, als ihm Glück und Freude ohne den Knaben gewesen war.
Seit der junge Siddhartha in der Hütte war, hatten die Alten sich in die Arbeit geteilt. Vasudeva hatte das Amt des Fährmanns wieder allein übernommen, und Siddhartha, um bei seinem Sohne zu sein, die Arbeit in Hütte und Feld.

Lange Zeit, lange Monate wartete Siddhartha darauf, daß sein Sohn ihn verstehe, daß er seine Liebe annehme, daß er sie vielleicht erwidere. Lange Monate wartete Vasudeva, zusehend, wartete und schwieg. Eines Tages, als Siddhartha der Junge seinen Vater wieder sehr mit Trotz und Launen gequält und ihm beide Reisschüsseln zerbrochen hatte, nahm Vasudeva seinen Freund am Abend beiseite und sprach mit ihm.

»Entschuldige mich«, sagte er, »aus freundlichem Herzen rede ich zu dir. Ich sehe, daß du dich quälst, ich sehe, daß du Kummer hast. Dein Sohn, Lieber, macht dir Sorge, und auch mir macht er Sorge. An ein anderes Leben, an ein anderes Nest ist der junge Vogel gewöhnt. Nicht wie du ist er dem Reichtum und der Stadt entlaufen aus Ekel und Überdruß, er hat wider seinen Willen dies alles dahinten lassen müssen. Ich fragte den Fluß, o Freund, viele Male habe ich ihn gefragt. Der Fluß aber lacht, er lacht mich aus, mich und dich lacht er aus, und schüttelt sich über unsre Torheit. Wasser will zu Wasser, Jugend will zu Jugend, dein Sohn ist nicht an dem Orte, wo er gedeihen kann. Frage auch du den Fluß, höre auch du auf ihn!«

Bekümmert blickte Siddhartha ihm in das freundliche Gesicht, in dessen vielen Runzeln beständige Heiterkeit wohnte.

»Kann ich mich denn von ihm trennen?« fragte er leise, beschämt. »Laß mir noch Zeit, Lieber! Sieh, ich kämpfe um ihn, ich werbe um sein Herz, mit Liebe und mit freundlicher Geduld will ich es fangen. Auch zu ihm soll einst der Fluß reden, auch er ist berufen.«

Vasudevas Lächeln blühte wärmer. »O ja, auch er ist berufen, auch er ist vom ewigen Leben. Aber wissen wir denn, du und ich, wozu er berufen ist, zu welchem Wege, zu welchen Taten, zu welchem Leiden? Nicht klein wird sein Leiden sein, stolz und hart ist ja sein Herz, viel müssen solche leiden, viel irren, viel Unrecht tun, sich viel Sünde aufladen. Sage mir, mein Lieber: du erziehst deinen Sohn nicht? Du zwingst ihn nicht? Schlägst ihn nicht? Strafst ihn nicht?«

»Nein, Vasudeva, das tue ich alles nicht.«

»Ich wußte es. Du zwingst ihn nicht, schlägst ihn nicht, befiehlst ihm nicht, weil du weißt, daß Weich stärker ist als Hart, Wasser stärker als Fels, Liebe stärker als Gewalt. Sehr gut, ich lobe dich. Aber ist es nicht ein Irrtum von dir, zu meinen, daß du ihn nicht zwingest, nicht strafest? Bindest du ihn nicht in Bande mit deiner Liebe? Beschämst du ihn nicht täglich, und machst es ihm noch schwerer, mit deiner Güte und Geduld? Zwingst du ihn nicht, den hochmütigen und verwöhnten Knaben, in einer Hütte bei zwei alten Bananenessern zu leben, welchen schon Reis ein Leckerbissen ist, deren Gedanken nicht seine sein können, deren Herz alt und still ist und anderen Gang hat als das seine? Ist er mit alledem nicht gezwungen, nicht gestraft?«
Betroffen blickte Siddhartha zur Erde. Leise fragte er: »Was meinst du, soll ich tun?«
Sprach Vasudeva: »Bring ihn zur Stadt, bringe ihn in seiner Mutter Haus, es werden noch Diener dort sein, denen gib ihn. Und wenn keine mehr dasind, so bringe ihn einem Lehrer, nicht der Lehre wegen, aber daß er zu anderen Knaben komme, und zu Mädchen, und in die Welt, welche die seine ist. Hast du daran nie gedacht?«
»Du siehst in mein Herz«, sprach Siddhartha traurig. »Oft habe ich daran gedacht. Aber sieh, wie soll ich ihn, der ohnehin kein sanftes Herz hat, in diese Welt geben? Wird er nicht üppig werden, wird er nicht sich an Lust und Macht verlieren, wird er nicht alle Irrtümer seines Vaters wiederholen, wird er nicht vielleicht ganz und gar in Sansara verlorengehen?«
Hell strahlte des Fährmanns Lächeln auf; er berührte zart Siddharthas Arm und sagte: »Frage den Fluß darüber, Freund! Höre ihn darüber lachen! Glaubst du denn wirklich, daß du deine Torheiten begangen habest, um sie dem Sohn zu ersparen? Und kannst du denn deinen Sohn vor Sansara schützen? Wie denn? Durch Lehre, durch Gebet, durch Ermahnung? Lieber, hast du jene Geschichte denn ganz vergessen, jene lehrreiche Geschichte vom Brahmanensohn Siddhartha, die du mir einst hier an dieser Stelle erzählt hast? Wer hat den Sa-

mana Siddhartha vor Sansara bewahrt, vor Sünde, vor Habsucht, vor Torheit? Hat seines Vaters Frömmigkeit, seiner Lehrer Ermahnung, hat sein eigenes Wissen, sein eigenes Suchen ihn bewahren können? Welcher Vater, welcher Lehrer hat ihn davor schützen können, selbst das Leben zu leben, selbst sich mit dem Leben zu beschmutzen, selbst Schuld auf sich zu laden, selbst den bitteren Trank zu trinken, selber seinen Weg zu finden? Glaubst du denn, Lieber, dieser Weg bleibe irgend jemandem vielleicht erspart? Vielleicht deinem Söhnchen, weil du es liebst, weil du ihm gern Leid und Schmerz und Enttäuschung ersparen möchtest? Aber auch wenn du zehnmal für ihn stürbest, würdest du ihm nicht den kleinsten Teil seines Schicksals damit abnehmen können.«

Noch niemals hatte Vasudeva so viele Worte gesprochen. Freundlich dankte ihm Siddhartha, ging bekümmert in die Hütte, fand lange keinen Schlaf. Vasudeva hatte ihm nichts gesagt, das er nicht selbst schon gedacht und gewußt hätte. Aber es war ein Wissen, das er nicht tun konnte, stärker als das Wissen war seine Liebe zu dem Knaben, stärker seine Zärtlichkeit, seine Angst, ihn zu verlieren. Hatte er denn jemals an irgend etwas so sehr sein Herz verloren, hatte er je irgendeinen Menschen so geliebt, so blind, so leidend, so erfolglos und doch so glücklich?

Siddhartha konnte seines Freundes Rat nicht befolgen, er konnte den Sohn nicht hergeben. Er ließ sich von dem Knaben befehlen, er ließ sich von ihm mißachten. Er schwieg und wartete, begann täglich den stummen Kampf der Freundlichkeit, den lautlosen Krieg der Geduld. Auch Vasudeva schwieg und wartete, freundlich, wissend, langmütig. In der Geduld waren sie beide Meister.

Einst, als des Knaben Gesicht ihn sehr an Kamala erinnerte, mußte Siddhartha plötzlich eines Wortes gedenken, das Kamala vor Zeiten, in den Tagen der Jugend, einmal zu ihm gesagt hatte. »Du kannst nicht lieben«, hatte sie ihm gesagt, und er hatte ihr recht gegeben und hatte sich mit einem Stern, die Kindermenschen aber mit fallendem Laub verglichen, und dennoch hatte er in jenem Wort auch einen Vorwurf gespürt. In der Tat hatte er niemals sich an einen anderen Menschen ganz verlieren und hingeben können, sich selbst vergessen, Torheiten der Liebe eines anderen wegen begehen; nie hatte er das gekonnt, und dies war, wie ihm damals schien, der große Unterschied gewesen, der ihn von den Kindermenschen trennte. Nun aber, seit sein Sohn da war, nun war auch er, Siddhartha, vollends ein Kindermensch geworden, eines Menschen wegen leidend, einen Menschen liebend, an eine Liebe verloren, einer Liebe wegen ein Tor geworden. Nun fühlte auch er, spät, einmal im Leben diese stärkste und seltsamste Leidenschaft, litt an ihr, litt kläglich, und war doch beseligt, war doch um etwas erneuert, um etwas reicher.

Wohl spürte er, daß diese Liebe, diese blinde Liebe zu seinem Sohn eine Leidenschaft, etwas sehr Menschliches, daß sie Sansara sei, eine trübe Quelle, ein dunkles Wasser. Dennoch, so fühlte er gleichzeitig, war sie nicht wertlos, war sie notwendig, kam aus seinem eigenen Wesen. Auch diese Lust wollte gebüßt, auch diese Schmerzen wollten gekostet sein, auch diese Torheiten begangen.

Der Sohn indessen ließ ihn seine Torheiten begehen, ließ ihn werben, ließ ihn täglich sich vor seinen Launen demütigen. Dieser Vater hatte nichts, was ihn entzückt, und nichts, was er gefürchtet hätte. Er war ein guter Mann, dieser Vater, ein guter, gütiger, sanfter Mann, vielleicht ein sehr frommer Mann, vielleicht ein Heiliger – dies alles waren nicht Eigenschaften, welche den Knaben gewinnen konnten. Langweilig war ihm dieser Vater, der ihn da in seiner elenden Hütte gefangenhielt, langweilig war er ihm, und daß er jede Unart mit Lächeln, jeden Schimpf mit Freundlichkeit, jede Bosheit mit Güte beantwortete, das eben war die verhaßteste List dieses alten Schleichers. Viel lieber wäre der Knabe von ihm bedroht, von ihm mißhandelt worden.

Es kam ein Tag, an welchem des jungen Siddhartha Sinn zum Ausbruch kam und sich offen gegen seinen Vater wandte. Der hatte ihm einen Auftrag erteilt, er hatte ihn Reisig sammeln geheißen. Der Knabe ging aber nicht aus der Hütte, er blieb trotzig und wütend stehen, stampfte den Boden, ballte die Fäuste, und schrie in gewaltigem Ausbruch seinem Vater Haß und Verachtung ins Gesicht.

»Hole du selber dein Reisig!« rief er schäumend, »ich bin nicht dein Knecht. Ich weiß ja, daß du mich nicht schlägst, du wagst es ja nicht; ich weiß ja, daß du mich mit deiner Frömmigkeit und deiner Nachsicht beständig strafen und kleinmachen willst. Du willst, daß ich werden soll wie du, auch so fromm, auch so sanft, auch so weise! Ich aber, höre, ich will, dir zuleide, lieber ein Straßenräuber und Mörder werden und zur Hölle fahren, als so werden wie du! Ich hasse dich, du bist nicht mein Vater, und wenn du zehnmal meiner Mutter Buhle gewesen bist!«

Zorn und Gram liefen in ihm über, schäumten in hundert wüsten und bösen Worten dem Vater entgegen. Dann lief der Knabe davon und kam erst spät am Abend wieder.

Am andern Morgen aber war er verschwunden. Verschwunden war auch ein kleiner, aus zweifarbigem Bast geflochtener Korb, in welchem die Fährleute jene Kupfer- und Silbermünzen aufbewahrten, welche sie als Fährlohn erhielten. Verschwunden war auch das Boot, Siddhartha sah es am jenseitigen Ufer liegen. Der Knabe war entlaufen.

»Ich muß ihm folgen«, sagte Siddhartha, der seit jenen gestrigen Schimpfreden des Knaben vor Jammer zitterte. »Ein Kind kann nicht allein durch den Wald gehen. Er wird umkommen. Wir müssen ein Floß bauen, Vasudeva, um übers Wasser zu kommen.«

»Wir werden ein Floß bauen«, sagte Vasudeva, »um unser Boot wieder zu holen, das der Junge entführt hat. Ihn aber solltest du laufenlassen, Freund, er ist kein Kind mehr, er weiß sich zu helfen. Er sucht den Weg nach der Stadt, und er hat recht, vergiß das nicht. Er tut das, was du selbst zu tun versäumt hast. Er sorgt für sich, er geht seine Bahn. Ach, Siddhartha, ich sehe dich leiden, aber du leidest Schmerzen, über die man lachen möchte, über die du selbst bald lachen wirst.«

Siddhartha antwortete nicht. Er hielt schon das Beil in Händen

und begann ein Floß aus Bambus zu machen, und Vasudeva half ihm, die Stämme mit Grasseilen zusammenzubinden. Dann fuhren sie hinüber, wurden weit abgetrieben, zogen das Floß am jenseitigen Ufer flußauf.
»Warum hast du das Beil mitgenommen?« fragte Siddhartha.
Vasudeva sagte: »Es könnte sein, daß das Ruder unsres Bootes verlorengegangen wäre.«
Siddhartha aber wußte, was sein Freund dachte. Er dachte, der Knabe werde das Ruder weggeworfen oder zerbrochen haben, um sich zu rächen und um sie an der Verfolgung zu hindern. Und wirklich war kein Ruder mehr im Boote. Vasudeva wies auf den Boden des Bootes und sah den Freund mit Lächeln an, als wollte er sagen: »Siehst du nicht, was dein Sohn dir sagen will? Siehst du nicht, daß er nicht verfolgt sein will?« Doch sagte er dies nicht mit Worten. Er machte sich daran, ein neues Ruder zu zimmern. Siddhartha aber nahm Abschied, um nach dem Entflohenen zu suchen. Vasudeva hinderte ihn nicht.
Als Siddhartha schon lange im Walde unterwegs war, kam ihm der Gedanke, daß sein Suchen nutzlos sei. Entweder, so dachte er, war der Knabe längst voraus und schon in der Stadt angelangt, oder, wenn er noch unterwegs sein sollte, würde er vor ihm, dem Verfolgenden, sich verborgen halten. Da er weiterdachte, fand er auch, daß er selbst nicht in Sorge um seinen Sohn war, daß er im Innersten wußte, er sei weder umgekommen, noch drohe ihm im Walde Gefahr. Dennoch lief er ohne Rast, nicht mehr, um ihn zu retten, nur aus Verlangen, nur um ihn vielleicht nochmals zu sehen. Und er lief bis vor die Stadt.
Als er nahe bei der Stadt auf die breite Straße gelangte, blieb er stehen, am Eingang des schönen Lustgartens, der einst Kamala gehört hatte, wo er sie einst, in der Sänfte, zum erstenmal gesehen hatte. Das Damalige stand in seiner Seele auf, wieder sah er sich dort stehen, jung, ein bärtiger nackter Samana, das Haar voll Staub. Lange stand Siddhartha und blickte durch das offene Tor in den Garten, Mönche in gelben Kutten sah er unter den schönen Bäumen gehen.

Lange stand er, nachdenkend, Bilder sehend, der Geschichte seines Lebens lauschend. Lange stand er, blickte nach den Mönchen, sah statt ihrer den jungen Siddhartha, sah die junge Kamala unter den hohen Bäumen gehen. Deutlich sah er sich, wie er von Kamala bewirtet ward, wie er ihren ersten Kuß empfing, wie er stolz und verächtlich auf sein Brahmanentum zurückblickte, stolz und verlangend sein Weltleben begann. Er sah Kamaswami, sah die Diener, die Gelage, die Würfelspieler, die Musikanten, sah Kamalas Singvogel im Käfig, lebte dies alles nochmals, atmete Sansara, war nochmals alt und müde, fühlte nochmals den Ekel, fühlte nochmals den Wunsch, sich auszulöschen, genas nochmals am heiligen Om.

Nachdem er lange beim Tor des Gartens gestanden war, sah Siddhartha ein, daß das Verlangen töricht war, das ihn bis zu dieser Stätte getrieben hatte, daß er seinem Sohne nicht helfen konnte, daß er sich nicht an ihn hängen durfte. Tief fühlte er die Liebe zu dem Entflohenen im Herzen, wie eine Wunde, und fühlte zugleich, daß ihm die Wunde nicht gegeben war, um in ihr zu wühlen, daß sie zur Blüte werden und strahlen müsse.

Daß die Wunde zu dieser Stunde noch nicht blühte, noch nicht strahlte, machte ihn traurig. An der Stelle des Wunschzieles, das ihn hierher und dem entflohenen Sohne nachgezogen hatte, stand nun Leere. Traurig setzte er sich nieder, fühlte etwas in seinem Herzen sterben, empfand Leere, sah keine Freude mehr, kein Ziel. Er saß versunken und wartete. Dies hatte er am Flusse gelernt, dies eine: warten, Geduld haben, lauschen. Und er saß und lauschte, im Staub der Straße, lauschte seinem Herzen, wie es müd und traurig ging, wartete auf eine Stimme. Manche Stunde kauerte er lauschend, sah keine Bilder mehr, sank in die Leere, ließ sich sinken, ohne einen Weg zu sehen. Und wenn er die Wunde brennen fühlte, sprach er lautlos das Om, füllte sich mit Om. Die Mönche im Garten sahen ihn, und da er viele Stunden kauerte und auf seinen grauen Haaren der Staub sich sammelte, kam einer gegangen und legte zwei Pisangfrüchte vor ihm nieder. Der Alte sah ihn nicht.

Aus dieser Erstarrung weckte ihn eine Hand, welche seine Schulter berührte. Alsbald erkannte er diese Berührung, die zarte, schamhafte, und kam zu sich. Er erhob sich und begrüßte Vasudeva, welcher ihm nachgegangen war. Und da er in Vasudevas freundliches Gesicht schaute, in die kleinen, wie mit lauter Lächeln ausgefüllten Falten, in die heiteren Augen, da lächelte auch er. Er sah nun die Pisangfrüchte vor sich liegen, hob sie auf, gab eine dem Fährmann, aß selbst die andere. Darauf ging er schweigend mit Vasudeva in den Wald zurück, kehrte zur Fähre heim. Keiner sprach von dem, was heute geschehen war, keiner nannte den Namen des Knaben, keiner sprach von seiner Flucht, keiner sprach von der Wunde. In der Hütte legte sich Siddhartha auf sein Lager, und da nach einer Weile Vasudeva zu ihm trat, um ihm eine Schale Kokosmilch anzubieten, fand er ihn schon schlafend.

Om

Lange noch brannte die Wunde. Manchen Reisenden mußte Siddhartha über den Fluß setzen, der einen Sohn oder eine Tochter bei sich hatte, und keinen von ihnen sah er, ohne daß er ihn beneidete, ohne daß er dachte: »So viele, so viele Tausende besitzen dies holdeste Glück – warum ich nicht? Auch böse Menschen, auch Diebe und Räuber haben Kinder, und lieben sie, und werden von ihnen geliebt, nur ich nicht.« So einfach, so ohne Verstand dachte er nun, so ähnlich war er den Kindermenschen geworden.
Anders sah er jetzt die Menschen an als früher, weniger klug, weniger stolz, dafür wärmer, dafür neugieriger, beteiligter. Wenn er Reisende der gewöhnlichen Art übersetzte, Kindermenschen, Geschäftsleute, Krieger, Weibervolk, so erschienen diese Leute ihm nicht fremd wie einst: er verstand sie, er verstand und teilte ihr nicht von Gedanken und Einsichten, sondern einzig von Trieben und Wünschen geleitetes Leben, er fühlte sich wie sie. Obwohl er nahe der Vollendung war, und an seiner letzten Wunde trug, schien ihm doch, diese Kindermenschen seien seine Brüder, ihre Eitelkeiten, Begehrlichkeiten und Lächerlichkeiten verloren das Lächerliche für ihn, wurden begreiflich, wurden liebenswert, wurden ihm sogar verehrungswürdig. Die blinde Liebe einer Mutter zu ihrem Kind, den dummen, blinden Stolz eines eingebildeten Vaters auf sein einziges Söhnlein, das blinde, wilde Streben nach Schmuck und nach bewundernden Männeraugen bei einem jungen, eitlen Weibe, alle diese Triebe, alle diese Kindereien, alle diese einfachen, törichten, aber ungeheuer starken, stark lebenden, stark sich durchsetzenden Triebe und Begehrlichkeiten waren für Siddhartha jetzt keine Kindereien mehr, er sah um ihretwillen die Menschen leben, sah sie um ihretwillen Unendliches leisten, Reisen tun, Kriege führen, Unendliches leiden, Unendliches ertragen, und er konnte sie dafür lieben,

er sah das Leben, das Lebendige, das Unzerstörbare, das Brahman in jeder ihrer Leidenschaften, jeder ihrer Taten. Liebenswert und bewundernswert waren diese Menschen in ihrer blinden Treue, ihrer blinden Stärke und Zähigkeit. Nichts fehlte ihnen, nichts hatte der Wissende und Denker ihnen voraus als eine einzige, winzige kleine Sache: das Bewußtsein, den bewußten Gedanken der Einheit alles Lebens. Und Siddhartha zweifelte sogar zu mancher Stunde, ob dies Wissen, dieser Gedanke so sehr hoch zu werten, ob nicht auch er vielleicht eine Kinderei der Denkmenschen, der Denk-Kindermenschen sein möchte. In allem andern waren die Weltmenschen dem Weisen ebenbürtig, waren ihm oft weit überlegen, wie ja auch Tiere in ihrem zähen, unbeirrten Tun des Notwendigen in manchen Augenblicken den Menschen überlegen scheinen können.

Langsam blühte, langsam reifte in Siddhartha die Erkenntnis, das Wissen darum, was eigentlich Weisheit sei, was seines langen Suchens Ziel sei. Es war nichts als eine Bereitschaft der Seele, eine Fähigkeit, eine geheime Kunst, jeden Augenblick, mitten im Leben, den Gedanken der Einheit denken, die Einheit fühlen und einatmen zu können. Langsam blühte diese in ihm auf, strahlte ihm aus Vasudevas altem Kindergesicht wider: Harmonie, Wissen um die ewige Vollkommenheit der Welt, Lächeln, Einheit.

Die Wunde aber brannte noch, sehnlich und bitter gedachte Siddhartha seines Sohnes, pflegte seine Liebe und Zärtlichkeit im Herzen, ließ den Schmerz an sich fressen, beging alle Torheiten der Liebe. Nicht von selbst erlosch diese Flamme.

Und eines Tages, als die Wunde heftig brannte, fuhr Siddhartha über den Fluß, gejagt von Sehnsucht, stieg aus und war willens, nach der Stadt zu gehen und seinen Sohn zu suchen. Der Fluß floß sanft und leise, es war in der trockenen Jahreszeit, aber seine Stimme klang sonderbar: sie lachte! Sie lachte deutlich. Der Fluß lachte, er lachte hell und klar den alten Fährmann aus. Siddhartha blieb stehen, er beugte sich übers Wasser, um noch besser zu hören, und im still ziehenden

Wasser sah er sein Gesicht gespiegelt, und in diesem gespiegelten Gesicht war etwas, das ihn erinnerte, etwas Vergessenes, und da er sich besann, fand er es: dies Gesicht glich einem andern, das er einst gekannt und geliebt und auch gefürchtet hatte. Es glich dem Gesicht seines Vaters, des Brahmanen. Und er erinnerte sich, wie er vor Zeiten, ein Jüngling, seinen Vater gezwungen hatte, ihn zu den Büßern gehen zu lassen, wie er Abschied von ihm genommen hatte, wie er gegangen und nie mehr wiedergekommen war. Hatte nicht auch sein Vater um ihn dasselbe Leid gelitten, wie er es nun um seinen Sohn litt? War nicht sein Vater längst gestorben, allein, ohne seinen Sohn wiedergesehen zu haben? War es nicht eine Komödie, eine seltsame und dumme Sache, diese Wiederholung, dieses Laufen in einem verhängnisvollen Kreise?

Der Fluß lachte. Ja, es war so, es kam alles wieder, was nicht bis zu Ende gelitten und gelöst ward, es wurden immer wieder dieselben Leiden gelitten. Siddhartha aber stieg wieder in das Boot und fuhr zu der Hütte zurück, seines Vaters gedenkend, seines Sohnes gedenkend, vom Flusse verlacht, mit sich selbst im Streit, geneigt zur Verzweiflung, und nicht minder geneigt, über sich und die ganze Welt laut mitzulachen. Ach, noch blühte die Wunde nicht, noch wehrte sein Herz sich wider das Schicksal, noch strahlte nicht Heiterkeit und Sieg aus seinem Leide. Doch fühlte er Hoffnung, und da er zur Hütte zurückgekehrt war, spürte er ein unbesiegbares Verlangen, sich vor Vasudeva zu öffnen, ihm alles zu zeigen, ihm, dem Meister des Zuhörens, alles zu sagen.

Vasudeva saß in der Hütte und flocht an einem Korbe. Er fuhr nicht mehr mit dem Fährboot, seine Augen begannen schwach zu werden, und nicht nur seine Augen, auch seine Arme und Hände. Unverändert und blühend war nur die Freude und das heitere Wohlwollen seines Gesichtes.

Siddhartha setzte sich zu dem Greise, langsam begann er zu sprechen. Worüber sie niemals gesprochen hatten, davon erzählte er jetzt, von seinem Gange zur Stadt, damals, von der brennenden Wunde, von seinem Neid beim Anblick glücklicher Väter, von seinem Wissen um die Torheit solcher Wünsche, von seinem vergeblichen Kampf wider sie. Alles berichtete er, alles konnte er sagen, auch das Peinlichste, alles ließ sich sagen, alles sich zeigen, alles konnte er erzählen. Er zeigte seine Wunde dar, erzählte auch seine heutige Flucht, wie er übers Wasser gefahren sei, kindischer Flüchtling, willens nach der Stadt zu wandern, wie der Fluß gelacht habe.

Während er sprach, lange sprach, während Vasudeva mit stillem Gesicht lauschte, empfand Siddhartha dies Zuhören Vasudevas stärker, als er es jemals gefühlt hatte, er spürte wie seine Schmerzen, seine Beängstigungen hinüberflossen, wie seine heimliche Hoffnung hinüberfloß, ihm von drüben wieder entgegenkam. Diesem Zuhörer seine Wunde zu zeigen, war dasselbe wie sie im Flusse baden, bis sie kühl und mit dem Flusse eins wurde. Während er immer noch sprach, immer noch bekannte und beichtete, fühlte Siddhartha mehr und mehr, daß dies nicht mehr Vasudeva, nicht mehr ein Mensch war, der ihm zuhörte, daß dieser regungslos Lauschende seine Beichte in sich einsog wie ein Baum den Regen, daß er Gott selbst, daß er das Ewige selbst war. Und während Siddhartha aufhörte, an sich und an seine Wunde zu denken, nahm diese Erkenntnis vom veränderten Wesen des Vasudeva von ihm Besitz, und je mehr er es empfand und darein eindrang, desto weniger wunderlich wurde es, desto mehr sah er ein, daß alles in Ordnung und natürlich war, daß Vasudeva schon lange, beinahe schon immer so gewesen sei, daß nur er selbst es nicht ganz erkannt hatte, ja daß er selbst von jenem kaum noch verschieden sei. Er empfand, daß er den alten Vasudeva nun so sehe, wie das Volk die Götter sieht, und daß dies nicht von Dauer sein könne; er begann im Herzen von Vasudeva Abschied zu nehmen. Dabei sprach er immerfort.

Als er zu Ende gesprochen hatte, richtete Vasudeva seinen freundlichen, etwas schwach gewordenen Blick auf ihn, sprach nicht, strahlte ihm schweigend Liebe und Heiterkeit entgegen, Verständnis und Wissen. Er nahm Siddharthas Hand, führte

ihn zum Sitz am Ufer, setzte sich mit ihm nieder, lächelte dem Flusse zu.
»Du hast ihn lachen hören«, sagte er. »Aber du hast nicht alles gehört. Laß uns lauschen, du wirst mehr hören.«
Sie lauschten. Sanft klang der vielstimmige Gesang des Flusses. Siddhartha schaute ins Wasser, und im ziehenden Wasser erschienen ihm Bilder: sein Vater erschien, einsam, um den Sohn trauernd, er selbst erschien, einsam, auch er mit den Banden der Sehnsucht an den fernen Sohn gebunden; es erschien sein Sohn, einsam auch er, der Knabe, begehrlich auf der brennenden Bahn seiner jungen Wünsche stürmend, jeder auf sein Ziel gerichtet, jeder vom Ziel besessen, jeder leidend. Der Fluß sang mit einer Stimme des Leidens, sehnlich sang er, sehnlich floß er seinem Ziele zu, klagend klang seine Stimme.
»Hörst du?« fragte Vasudevas stummer Blick. Siddhartha nickte.
»Höre besser!« flüsterte Vasudeva.
Siddhartha bemühte sich, besser zu hören. Das Bild des Vaters, sein eigenes Bild, das Bild des Sohnes flossen ineinander, auch Kamalas Bild erschien und zerfloß, und das Bild Govindas, und andre Bilder, und flossen ineinander über, wurden alle zum Fluß, strebten alle als Fluß dem Ziele zu, sehnlich, begehrend, leidend, und des Flusses Stimme klang voll Sehnsucht, voll von brennendem Weh, voll von unstillbarem Verlangen. Zum Ziele strebte der Fluß, Siddhartha sah ihn eilen, den Fluß, der aus ihm und den Seinen und aus allen Menschen bestand, die er je gesehen hatte, alle die Wellen und Wasser eilten, leidend, Zielen zu, vielen Zielen, dem Wasserfall, dem See, der Stromschnelle, dem Meere, und alle Ziele wurden erreicht, und jedem folgte ein neues, und aus dem Wasser ward Dampf und stieg in den Himmel, ward Regen und stürzte aus dem Himmel herab, ward Quelle, ward Bach, ward Fluß, strebte aufs neue, floß aufs neue. Aber die sehnliche Stimme hatte sich verändert. Noch tönte sie, leidvoll, suchend, aber andre Stimmen gesellten sich zu ihr, Stimmen der Freude und

des Leides, gute und böse Stimmen, lachende und trauernde, hundert Stimmen, tausend Stimmen.
Siddhartha lauschte. Er war nun ganz Lauscher, ganz ins Zuhören vertieft, ganz leer, ganz einsaugend, er fühlte, daß er nun das Lauschen zu Ende gelernt habe. Oft schon hatte er all dies gehört, diese vielen Stimmen im Fluß, heute klang es neu. Schon konnte er die vielen Stimmen nicht mehr unterscheiden, nicht frohe von weinenden, nicht kindliche von männlichen, sie gehörten alle zusammen, Klage der Sehnsucht und Lachen des Wissenden, Schrei des Zorns und Stöhnen der Sterbenden, alles war eins, alles war ineinander verwoben und verknüpft, tausendfach verschlungen. Und alles zusammen, alle Stimmen, alle Ziele, alles Sehnen, alle Leiden, alle Lust, alles Gute und Böse, alles zusammen war die Welt. Alles zusammen war der Fluß des Geschehens, war die Musik des Lebens. Und wenn Siddhartha aufmerksam diesem Fluß, diesem tausendstimmigen Liede lauschte, wenn er nicht auf das Leid noch auf das Lachen hörte, wenn er seine Seele nicht an irgendeine Stimme band und mit seinem Ich in sie einging, sondern alle hörte, das Ganze, die Einheit vernahm, dann bestand das große Lied der tausend Stimmen aus einem einzigen Worte, das hieß Om: die Vollendung.
»Hörst du?« fragte wieder Vasudevas Blick.
Hell glänzte Vasudevas Lächeln, über all den Runzeln seines alten Antlitzes schwebte es leuchtend, wie über all den Stimmen des Flusses das Om schwebte. Hell glänzte sein Lächeln, als er den Freund anblickte, und hell glänzte nun auch auf Siddharthas Gesicht dasselbe Lächeln auf. Seine Wunde blühte, sein Leid strahlte, sein Ich war in die Einheit geflossen.
In dieser Stunde hörte Siddhartha auf, mit dem Schicksal zu kämpfen, hörte auf zu leiden. Auf seinem Gesicht blühte die Heiterkeit des Wissens, dem kein Wille mehr entgegensteht, das die Vollendung kennt, das einverstanden ist mit dem Fluß des Geschehens, mit dem Strom des Lebens, voll Mitleid, voll Mitlust, dem Strömen hingegeben, der Einheit zugehörig.
Als Vasudeva sich von dem Sitz am Ufer erhob, als er in Sid-

dharthas Augen blickte und die Heiterkeit des Wissens darin strahlen sah, berührte er dessen Schulter leise mit der Hand, in seiner behutsamen und zarten Weise, und sagte: »Ich habe auf diese Stunde gewartet, Lieber. Nun sie gekommen ist, laß mich gehen. Lange habe ich auf diese Stunde gewartet, lange bin ich der Fährmann Vasudeva gewesen. Nun ist es genug. Lebe wohl, Hütte, lebe wohl, Fluß, lebe wohl, Siddhartha!«
Siddhartha verneigte sich tief vor dem Abschiednehmenden.
»Ich habe es gewußt«, sagte er leise. »Du wirst in die Wälder gehen?«
»Ich gehe in die Wälder, ich gehe in die Einheit«, sprach Vasudeva strahlend.
Strahlend ging er hinweg; Siddhartha blickte ihm nach. Mit tiefer Freude, mit tiefem Ernst blickte er ihm nach, sah seine Schritte voll Frieden, sah sein Haupt voll Glanz, sah seine Gestalt voll Licht.

Govinda

Mit anderen Mönchen weilte Govinda einst während einer Rastzeit in dem Lusthain, welchen die Kurtisane Kamala den Jüngern des Gotama geschenkt hatte. Er hörte von einem alten Fährmanne sprechen, welcher eine Tagereise entfernt am Flusse wohne, und der von vielen für einen Weisen gehalten werde. Als Govinda des Weges weiterzog, wählte er den Weg zur Fähre, begierig, diesen Fährmann zu sehen. Denn ob er wohl sein Leben lang nach der Regel gelebt hatte, auch von den jüngeren Mönchen seines Alters und seiner Bescheidenheit wegen mit Ehrfurcht angesehen wurde, war doch in seinem Herzen die Unruhe und das Suchen nicht erloschen.

Er kam zum Flusse, er bat den Alten um Überfahrt, und da sie drüben aus dem Boot stiegen, sagte er zum Alten: »Viel Gutes erweisest du uns Mönchen und Pilgern, viele von uns hast du schon übergesetzt. Bist nicht auch du, Fährmann, ein Sucher nach dem rechten Pfade?«

Sprach Siddhartha, aus den alten Augen lächelnd: »Nennst du dich einen Sucher, o Ehrwürdiger, und bist doch schon hoch in den Jahren und trägst das Gewand der Mönche Gotamas?«

»Wohl bin ich alt«, sprach Govinda, »zu suchen aber habe ich nicht aufgehört. Nie werde ich aufhören zu suchen, dies scheint meine Bestimmung. Auch du, so scheint es mir, hast gesucht. Willst du mir ein Wort sagen, Verehrter?«

Sprach Siddhartha: »Was sollte ich dir, Ehrwürdiger, wohl zu sagen haben? Vielleicht das, daß du allzuviel suchst? Daß du vor Suchen nicht zum Finden kommst?«

»Wie denn?« fragte Govinda.

»Wenn jemand sucht«, sagte Siddhartha, »dann geschieht es leicht, daß sein Auge nur noch das Ding sieht, das er sucht, daß er nichts zu finden, nichts in sich einzulassen vermag, weil er nur immer an das Gesuchte denkt, weil er ein Ziel hat, weil er vom Ziel besessen ist. Suchen heißt: ein Ziel haben. Finden

aber heißt: frei sein, offen stehen, kein Ziel haben. Du, Ehrwürdiger, bist vielleicht in der Tat ein Sucher, denn, deinem Ziel nachstrebend, siehst du manches nicht, was nah vor deinen Augen steht.«
»Noch verstehe ich nicht ganz«, bat Govinda, »wie meinst du das?«
Sprach Siddhartha: »Einst, o Ehrwürdiger, vor manchen Jahren, bist du schon einmal an diesem Flusse gewesen, und hast am Fluß einen Schlafenden gefunden, und hast dich zu ihm gesetzt, um seinen Schlaf zu behüten. Erkannt aber, o Govinda, hast du den Schlafenden nicht.«
Staunend, wie ein Bezauberter, blickte der Mönch in des Fährmanns Augen.
»Bist du Siddhartha?« fragte er mit scheuer Stimme. »Ich hätte dich auch dieses Mal nicht erkannt! Herzlich grüße ich dich, Siddhartha, herzlich freue ich mich, dich nochmals zu sehen! Du hast dich sehr verändert, Freund. – Und nun bist du also ein Fährmann geworden?«
Freundlich lachte Siddhartha. »Ein Fährmann, ja. Manche, Govinda, müssen sich viel verändern, müssen allerlei Gewand tragen, ihrer einer bin ich, Lieber. Sei willkommen, Govinda, und bleibe die Nacht in meiner Hütte.«
Govinda blieb die Nacht in der Hütte und schlief auf dem Lager, das einst Vasudevas Lager gewesen war. Viele Fragen richtete er an den Freund seiner Jugend, vieles mußte ihm Siddhartha aus seinem Leben erzählen.
Als es am andern Morgen Zeit war, die Tageswanderung anzutreten, da sagte Govinda, nicht ohne Zögern, die Worte: »Ehe ich meinen Weg fortsetze, Siddhartha, erlaube mir noch eine Frage. Hast du eine Lehre? Hast du einen Glauben oder ein Wissen, dem du folgst, das dir leben und recht tun hilft?«
Sprach Siddhartha: »Du weißt, Lieber, daß ich schon als junger Mann, damals, als wir bei den Büßern im Walde lebten, dazu kam, den Lehren und Lehrern zu mißtrauen und ihnen den Rücken zu wenden. Ich bin dabei geblieben. Dennoch habe ich seither viele Lehrer gehabt. Eine schöne Kurtisane

ist lange Zeit meine Lehrerin gewesen, und ein reicher Kaufmann war mein Lehrer, und einige Würfelspieler. Einmal ist auch ein wandernder Jünger Buddhas mein Lehrer gewesen; er saß bei mir, als ich im Walde eingeschlafen war, auf der Pilgerschaft. Auch von ihm habe ich gelernt, auch ihm bin ich dankbar. Am meisten aber habe ich hier von diesem Flusse gelernt, und von meinem Vorgänger, dem Fährmann Vasudeva. Er war ein sehr einfacher Mensch, Vasudeva, er war kein Denker, aber er wußte das Notwendige, so gut wie Gotama, er war ein Vollkommener, ein Heiliger.«

Govinda sagte: »Noch immer, o Siddhartha, liebst du ein wenig den Spott, wie mir scheint. Ich glaube dir und weiß es, daß du nicht einem Lehrer gefolgt bist. Aber hast nicht du selbst, wenn auch nicht eine Lehre, so doch gewisse Gedanken, gewisse Erkenntnisse gefunden, welche dein eigen sind und die dir leben helfen? Wenn du mir von diesen etwas sagen möchtest, würdest du mir das Herz erfreuen.«

Sprach Siddhartha: »Ich habe Gedanken gehabt, ja, und Erkenntnisse, je und je. Ich habe manchmal, für eine Stunde oder für einen Tag, Wissen in mir gefühlt, so wie man Leben in seinem Herzen fühlt. Manche Gedanken waren es, aber schwer wäre es für mich, sie dir mitzuteilen. Sieh, mein Govinda, dies ist einer meiner Gedanken, die ich gefunden habe: Weisheit ist nicht mitteilbar. Weisheit, welche ein Weiser mitzuteilen versucht, klingt immer wie Narrheit.«

»Scherzest du?« fragte Govinda.

»Ich scherze nicht. Ich sage, was ich gefunden habe. Wissen kann man mitteilen, Weisheit aber nicht. Man kann sie finden, man kann sie leben, man kann von ihr getragen werden, man kann mit ihr Wunder tun, aber sagen und lehren kann man sie nicht. Dies war es, was ich schon als Jüngling manchmal ahnte, was mich von den Lehrern fortgetrieben hat. Ich habe einen Gedanken gefunden, Govinda, den du wieder für Scherz oder für Narrheit halten wirst, der aber mein bester Gedanke ist. Er heißt: von jeder Wahrheit ist das Gegenteil ebenso wahr! Nämlich so: eine Wahrheit läßt sich immer nur aussprechen und in Worte hüllen, wenn sie einseitig ist. Einseitig ist alles, was mit Gedanken gedacht und mit Worten gesagt werden kann, alles einseitig, alles halb, alles entbehrt der Ganzheit, des Runden, der Einheit. Wenn der erhabene Gotama lehrend von der Welt sprach, so mußte er sie teilen in Sansara und Nirwana, in Täuschung und Wahrheit, in Leid und Erlösung. Man kann nicht anders, es gibt keinen andern Weg für den, der lehren will. Die Welt selbst aber, das Seiende um uns her und in uns innen, ist nie einseitig. Nie ist ein Mensch oder eine Tat, ganz Sansara oder ganz Nirwana, nie ist ein Mensch ganz heilig oder ganz sündig. Es scheint ja so, weil wir der Täuschung unterworfen sind, daß Zeit etwas Wirkliches sei. Zeit ist nicht wirklich, Govinda, ich habe dies oft und oft erfahren. Und wenn Zeit nicht wirklich ist, so ist die Spanne, die zwischen Welt und Ewigkeit, zwischen Leid und Seligkeit, zwischen Böse und Gut zu liegen scheint, auch eine Täuschung.«

»Wie das?« fragte Govinda ängstlich.

»Höre gut, Lieber, höre gut! Der Sünder, der ich bin und der du bist, der ist Sünder, aber er wird einst wieder Brahma sein, er wird einst Nirwana erreichen, wird Buddha sein – und nun siehe: dies ›Einst‹ ist Täuschung, ist nur Gleichnis! Der Sünder ist nicht auf dem Weg zur Buddhaschaft unterwegs, er ist nicht in einer Entwicklung begriffen, obwohl unser Denken sich die Dinge nicht anders vorzustellen weiß. Nein, in dem Sünder ist, ist jetzt und heute schon der künftige Buddha, seine Zukunft ist alle schon da, du hast in ihm, in dir, in jedem den werdenden, den möglichen, den verborgenen Buddha zu verehren. Die Welt, Freund Govinda, ist nicht unvollkommen, oder auf einem langsamen Wege zur Vollkommenheit begriffen: nein, sie ist in jedem Augenblick vollkommen, alle Sünde trägt schon die Gnade in sich, alle kleinen Kinder haben schon den Greis in sich, alle Säuglinge den Tod, alle Sterbenden das ewige Leben. Es ist keinem Menschen möglich, vom anderen zu sehen, wie weit er auf seinem Wege sei, im Räuber und Würfelspieler wartet Buddha, im Brahmanen wartet der Räuber. Es gibt in der tiefen Meditation die Möglichkeit, die Zeit aufzuheben, alles gewesene, seiende und sein werdende Leben als gleichzeitig zu sehen, und da ist alles gut, alles vollkommen, alles ist Brahman. Darum scheint mir das, was ist, gut, es scheint mir Tod wie Leben, Sünde wie Heiligkeit, Klugheit wie Torheit, alles muß so sein, alles bedarf nur meiner Zustimmung, nur meiner Willigkeit, meines liebenden Einverständnisses, so ist es für mich gut, kann mich nur fördern, kann mir nie schaden. Ich habe an meinem Leibe und an meiner Seele erfahren, daß ich der Sünde sehr bedurfte, ich bedurfte der Wollust, des Strebens nach Gütern, der Eitelkeit und bedurfte der schmählichsten Verzweiflung, um das Widerstreben aufgeben zu lernen, um die Welt lieben zu lernen, um sie nicht mehr mit irgendeiner von mir gewünschten, von mir eingebildeten Welt zu vergleichen, einer von mir ausgedachten Art der Vollkommenheit, sondern sie zu lassen, wie sie ist, und sie zu lieben, und ihr gerne anzugehören. – Dies, o Govinda, sind einige von den Gedanken, die mir in den Sinn gekommen sind.«

Siddhartha bückte sich, hob einen Stein vom Erdboden auf und wog ihn in der Hand.

»Dies hier«, sagte er spielend, »ist ein Stein, und er wird in einer bestimmten Zeit vielleicht Erde sein, und wird aus Erde Pflanze werden, oder Tier oder Mensch. Früher nun hätte ich gesagt: ›Dieser Stein ist bloß ein Stein, er ist wertlos, er gehört der Welt der Maja an; aber weil er vielleicht im Kreislauf der Verwandlungen auch Mensch und Geist werden kann, darum schenke ich auch ihm Geltung.‹ So hätte ich früher vielleicht gedacht. Heute aber denke ich: dieser Stein ist Stein, er ist auch Tier, er ist auch Gott, er ist auch Buddha, ich verehre und liebe ihn nicht, weil er einstmals dies oder jenes werden könnte, sondern weil er alles längst und immer ist – und gerade dies, daß er Stein ist, daß er mir jetzt und heute als Stein erscheint, gerade darum liebe ich ihn, und sehe Wert und Sinn in jeder von seinen Adern und Höhlungen, in dem Gelb, in dem Grau, in der Härte, im Klang, den er von sich gibt, wenn ich ihn beklopfe, in der Trockenheit oder Feuchtigkeit seiner Oberfläche. Es gibt Steine, die fühlen sich wie Öl oder wie Seife an, und andre wie Blätter, andre wie Sand, und jeder ist besonders und betet das Om auf seine Weise, jeder ist Brahman, zugleich aber und ebensosehr ist er Stein, ist ölig oder seifig, und gerade das gefällt mir und scheint mir wunderbar und der Anbetung würdig. – Aber mehr laß mich davon nicht sagen. Die Worte tun dem geheimen Sinn nicht gut, es wird immer alles gleich ein wenig anders, wenn man es ausspricht, ein wenig verfälscht, ein wenig närrisch – ja, und auch das ist sehr gut und gefällt mir sehr, auch damit bin ich sehr einverstanden, daß das, was eines Menschen Schatz und Weisheit ist, dem andern immer wie Narrheit klingt.«

Schweigend lauschte Govinda.

»Warum hast du mir das von dem Steine gesagt?« fragte er nach einer Pause zögernd.

»Es geschah ohne Absicht. Oder vielleicht war es so gemeint, daß ich eben den Stein, und den Fluß, und alle diese Dinge, die wir betrachten und von denen wir lernen können, liebe. Einen Stein kann ich lieben, Govinda, und auch einen Baum oder ein Stück Rinde. Das sind Dinge, und Dinge kann man lieben. Worte aber kann ich nicht lieben. Darum sind Lehren nichts für mich, sie haben keine Härte, keine Weiche, keine Farben, keine Kanten, keinen Geruch, keinen Geschmack, sie haben nichts als Worte. Vielleicht ist es dies, was dich hindert, den Frieden zu finden, vielleicht sind es die vielen Worte. Denn auch Erlösung und Tugend, auch Sansara und Nirwana sind bloße Worte, Govinda. Es gibt kein Ding, das Nirwana wäre; es gibt nur das Wort Nirwana.«

Sprach Govinda: »Nicht nur ein Wort, Freund, ist Nirwana. Es ist ein Gedanke.«

Siddhartha fuhr fort: »Ein Gedanke, es mag so sein. Ich muß dir gestehen, Lieber: ich unterscheide zwischen Gedanken und Worten nicht sehr. Offen gesagt, halte ich auch von Gedanken nicht viel. Ich halte von Dingen mehr. Hier auf diesem Fährboot zum Beispiel war ein Mann mein Vorgänger und

Lehrer, ein heiliger Mann, der hat manche Jahre lang einfach an den Fluß geglaubt, sonst an nichts. Er hatte gemerkt, daß des Flusses Stimme zu ihm sprach, von ihr lernte er, sie erzog und lehrte ihn, der Fluß schien ihm ein Gott, viele Jahre lang wußte er nicht, daß jeder Wind, jede Wolke, jeder Vogel, jeder Käfer genauso göttlich ist und ebensoviel weiß und lehren kann wie der verehrte Fluß. Als dieser Heilige aber in die Wälder ging, da wußte er alles, wußte mehr als du und ich, ohne Lehrer, ohne Bücher, nur weil er an den Fluß geglaubt hatte.«

Govinda sagte: »Aber ist das, was du ›Dinge‹ nennst, denn etwas Wirkliches, etwas Wesenhaftes? Ist das nicht nur Trug der Maja, nur Bild und Schein? Dein Stein, dein Baum, dein Fluß – sind sie denn Wirklichkeiten?«

»Auch dies«, sprach Siddhartha, »bekümmert mich nicht sehr. Mögen die Dinge Schein sein oder nicht, auch ich bin alsdann ja Schein, und so sind sie stets meinesgleichen. Das ist es, was sie mir so lieb und verehrenswert macht: sie sind meinesgleichen. Darum kann ich sie lieben. Und dies ist nun eine Lehre, über welche du lachen wirst: die Liebe, o Govinda, scheint mir von allem die Hauptsache zu sein. Die Welt zu durchschauen, sie zu erklären, sie zu verachten, mag großer Denker Sache sein. Mir aber liegt einzig daran, die Welt lieben zu können, sie nicht zu verachten, sie und mich nicht zu hassen, sie und mich und alle Wesen mit Liebe und Bewunderung und Ehrfurcht betrachten zu können.«

»Dies verstehe ich«, sprach Govinda. »Aber ebendies hat er, der Erhabene, als Trug erkannt. Er gebietet Wohlwollen, Schonung, Mitleid, Duldung, nicht aber Liebe; er verbot uns, unser Herz in Liebe an Irdisches zu fesseln.«

»Ich weiß es«, sagte Siddhartha; sein Lächeln strahlte golden. »Ich weiß es, Govinda. Und siehe, da sind wir mitten im Dickicht der Meinungen drin, im Streit um Worte. Denn ich kann nicht leugnen, meine Worte von der Liebe stehen im Widerspruch, im scheinbaren Widerspruch zu Gotamas Worten. Eben darum mißtraue ich den Worten so sehr, denn ich weiß, dieser Widerspruch ist Täuschung. Ich weiß, daß ich

mit Gotama einig bin. Wie sollte denn auch Er die Liebe nicht kennen. Er, der alles Menschensein in seiner Vergänglichkeit, in seiner Nichtigkeit erkannt hat, und dennoch die Menschen so sehr liebte, daß er ein langes, mühevolles Leben einzig darauf verwendet hat, ihnen zu helfen, sie zu lehren! Auch bei ihm, auch bei deinem großen Lehrer, ist mir das Ding lieber als die Worte, sein Tun und Leben wichtiger als sein Reden, die Gebärde seiner Hand wichtiger als seine Meinungen. Nicht im Reden, nicht im Denken sehe ich seine Größe, nur im Tun, im Leben.«
Lange schwiegen die beiden alten Männer. Dann sprach Govinda, indem er sich zum Abschied verneigte: »Ich danke dir, Siddhartha, daß du mir etwas von deinen Gedanken gesagt hast. Es sind zum Teil seltsame Gedanken, nicht alle sind mir sofort verständlich geworden. Dies möge sein, wie es wolle, ich danke dir, und ich wünsche dir ruhige Tage.«
(Heimlich bei sich aber dachte er: Dieser Siddhartha ist ein wunderlicher Mensch, wunderliche Gedanken spricht er aus, närrisch klingt seine Lehre. Anders klingt des Erhabenen reine Lehre, klarer, reiner, verständlicher, nichts Seltsames, Närrisches oder Lächerliches ist in ihr enthalten. Aber anders als seine Gedanken scheinen mir Siddharthas Hände und Füße, seine Augen, seine Stirn, sein Atmen, sein Lächeln, sein Gruß, sein Gang. Nie mehr, seit unser erhabener Gotama in Nirwana einging, nie mehr habe ich einen Menschen angetroffen, von dem ich fühlte: dies ist ein Heiliger! Einzig ihn, diesen Siddhartha, habe ich so gefunden. Mag seine Lehre seltsam sein, mögen seine Worte närrisch klingen, sein Blick und seine Hand, seine Haut und sein Haar, alles an ihm strahlt eine Reinheit, strahlt eine Ruhe, strahlt eine Heiterkeit und Milde und Heiligkeit aus, welche ich an keinem anderen Menschen seit dem letzten Tode unseres erhabenen Lehrers gesehen habe.)
Indem Govinda also dachte, und ein Widerstreit in seinem Herzen war, neigte er sich nochmals zu Siddhartha, von Liebe gezogen. Tief verneigte er sich vor dem ruhig Sitzenden.

»Siddhartha«, sprach er, »wir sind alte Männer geworden. Schwerlich wird einer von uns den andern in dieser Gestalt wiedersehen. Ich sehe, Geliebter, daß du den Frieden gefunden hast. Ich bekenne, ihn nicht gefunden zu haben. Sage mir, Verehrter, noch ein Wort, gib mir etwas, das ich fassen, das ich verstehen kann! Gib mir etwas mit auf meinen Weg. Er ist oft beschwerlich, mein Weg, oft finster, Siddhartha.«
Siddhartha schwieg und blickte ihn mit dem immer gleichen, stillen Lächeln an. Starr blickte ihm Govinda ins Gesicht, mit Angst, mit Sehnsucht. Leid und ewiges Suchen stand in seinem Blick geschrieben, ewiges Nichtfinden.
Siddhartha sah es und lächelte.
»Neige dich zu mir!« flüsterte er leise in Govindas Ohr. »Neige dich zu mir her! So, noch näher! Ganz nahe! Küsse mich auf die Stirn, Govinda!«
Während aber Govinda verwundert, und dennoch von großer Liebe und Ahnung gezogen, seinen Worten gehorchte, sich nahe zu ihm neigte und seine Stirn mit den Lippen berührte, geschah ihm etwas Wunderbares. Während seine Gedanken noch bei Siddharthas wunderlichen Worten verweilten, während er sich noch vergeblich und mit Widerstreben bemühte, sich die Zeit hinwegzudenken, sich Nirwana und Sansara als Eines vorzustellen, während sogar eine gewisse Verachtung für die Worte des Freundes in ihm mit einer ungeheuren Liebe und Ehrfurcht stritt, geschah ihm dieses:
Er sah seines Freundes Siddhartha Gesicht nicht mehr, er sah statt dessen andre Gesichter, viele, eine lange Reihe, einen strömenden Fluß von Gesichtern, von Hunderten, von Tausenden, welche alle kamen und vergingen, und doch alle zugleich dazusein schienen, welche alle sich beständig veränderten und erneuerten, und welche doch alle Siddhartha waren. Er sah das Gesicht eines Fisches, eines Karpfens, mit unendlich schmerzvoll geöffnetem Maule, eines sterbenden Fisches, mit brechenden Augen – er sah das Gesicht eines neugeborenen Kindes, rot und voll Falten, zum Weinen verzogen – er sah das Gesicht eines Mörders, sah ihn ein Messer in den Leib

eines Menschen stechen – er sah, zur selben Sekunde, diesen Verbrecher gefesselt knien und sein Haupt vom Henker mit einem Schwertschlag abgeschlagen werden – er sah die Körper von Männern und Frauen nackt in Stellungen und Kämpfen rasender Liebe –, er sah Leichen ausgestreckt, still, kalt, leer – er sah Tierköpfe, von Ebern, von Krokodilen, von Elefanten, von Stieren, von Vögeln – er sah Götter, sah Krischna, sah Agni –, er sah alle diese Gestalten und Gesichter in tausend Beziehungen zueinander, jede der andern helfend, sie liebend, sie hassend, sie vernichtend, sie neu gebärend, jede war ein Sterbenwollen, ein leidenschaftlich schmerzliches Bekenntnis der Vergänglichkeit, und keine starb doch, jede verwandelte sich nur, wurde stets neu geboren, bekam stets ein neues Gesicht, ohne daß doch zwischen einem und dem anderen Gesicht Zeit gelegen wäre – und alle diese Gestalten und Gesichter ruhten, flossen, erzeugten sich, schwammen dahin und strömten ineinander, und über alle war beständig etwas Dünnes, Wesenloses, dennoch Seiendes, wie ein dünnes Glas oder Eis gezogen, wie eine durchsichtige Haut, eine Schale oder Form oder Maske von Wasser, und diese Maske lächelte, und diese Maske war Siddharthas lächelndes Gesicht, das er, Govinda, in ebendiesem selben Augenblick mit den Lippen berührte. Und, so sah Govinda, dies Lächeln der Maske, dies Lächeln der Einheit über den strömenden Gestaltungen, dies Lächeln der Gleichzeitigkeit über den tausend Geburten und Toden, dies Lächeln Siddharthas war genau dasselbe, war genau das gleiche, stille, feine, undurchdringliche, vielleicht gütige, vielleicht spöttische, weise, tausendfältige Lächeln Gotamas, des Buddhas, wie er selbst es hundertmal mit Ehrfurcht gesehen hatte. So, das wußte Govinda, lächelten die Vollendeten.

Nicht mehr wissend, ob es Zeit gebe, ob diese Schauung eine Sekunde oder hundert Jahre gewährt habe, nicht mehr wissend, ob es einen Siddhartha, ob es einen Gotama, ob es Ich und Du gebe, im Innersten wie von einem göttlichen Pfeile verwundet, dessen Verwundung süß schmeckt, im Innersten verzaubert und aufgelöst, stand Govinda noch eine kleine Weile, über Siddharthas stilles Gesicht gebeugt, das er soeben geküßt hatte, das soeben Schauplatz aller Gestaltungen, alles Werdens, alles Seins gewesen war. Das Antlitz war unverändert, nachdem unter seiner Oberfläche die Tiefe der Tausendfältigkeit sich wieder geschlossen hatte, er lächelte still, lächelte leise und sanft, vielleicht sehr gütig, vielleicht sehr spöttisch, genau, wie er gelächelt hatte, der Erhabene.

Tief verneigte sich Govinda, Tränen liefen, von welchen er nichts wußte, über sein altes Gesicht, wie ein Feuer brannte das Gefühl der innigsten Liebe, der demütigen Verehrung in seinem Herzen. Tief verneigte er sich, bis zur Erde, vor dem regungslos Sitzenden, dessen Lächeln ihn an alles erinnerte, was er in seinem Leben jemals geliebt hatte, was jemals in seinem Leben ihm wert und heilig gewesen war.

Zeittafel

1877 geboren am 2. Juli in Calw/Württemberg
1892 Flucht aus dem evgl.-theol. Seminar in Maulbronn
1899 »Romantische Lieder«, »Hermann Lauscher«
1904 »Peter Camenzind«, Ehe mit Maria Bernoulli
1906 »Unterm Rad«, Mitherausgeber der antiwilhelminischen Zeitschrift »März« (München)
1907 »Diesseits«, Erzählungen
1908 »Nachbarn«, Erzählungen
1910 »Gertrud«
1911 Indienreise
1912 »Umwege«, Erzählungen, Hesse verläßt Deutschland und übersiedelt nach Bern
1913 »Aus Indien«, Aufzeichnungen von einer indischen Reise
1914 »Roßhalde«, bis 1919 im Dienst der »Deutschen Kriegsgefangenenfürsorge, Bern«
Herausgeber der »Deutschen Interniertenzeitung«, der »Bücher für deutsche Kriegsgefangene« und des »Sonntagsboten für deutsche Kriegsgefangene«
1915 »Knulp«
1919 »Demian«, »Märchen«, »Zarathustras Wiederkehr«
Gründung und Herausgabe der Zeitschrift »Vivos voco«, ›Für neues Deutschtum‹. (Leipzig, Bern)
1920 »Klingsors letzter Sommer«, »Wanderung«
1922 »Siddhartha«
1924 Hesse wird Schweizer Staatsbürger
1924 Ehe mit Ruth Wenger
1925 »Kurgast«
1926 »Bilderbuch«
1927 »Die Nürnberger Reise«, »Der Steppenwolf«
1928 »Betrachtungen«
1929 »Eine Bibliothek der Weltliteratur«
1930 »Narziß und Goldmund«
Austritt aus der »Preußischen Akademie der Künste«, Sektion Sprache und Dichtung
1931 Ehe mit Ninon Dolbin geb. Ausländer
1932 »Die Morgenlandfahrt«
1937 »Gedenkblätter«
1942 »Gedichte«
1943 »Das Glasperlenspiel«

1945 »Traumfährte«, Erzählungen und Märchen
1946 Nobelpreis
1951 »Späte Prosa«, »Briefe«
1952 »Gesammelte Dichtungen«, 6 Bde.
1957 »Gesammelte Schriften«, 7 Bde.
1962 9. August: Tod Hermann Hesses in Montagnola
1966 »Prosa aus dem Nachlaß«, »Kindheit und Jugend vor Neunzehnhundert. Hermann Hesse in Briefen und Lebenszeugnissen 1877–1894«
1968 »Hermann Hesse – Thomas Mann«, Briefwechsel
1969 »Hermann Hesse – Peter Suhrkamp«, Briefwechsel
1970 »Politische Betrachtungen«, »Hermann Hesse – Werkausgabe« in 12 Bänden, dort:
»Eine Literaturgeschichte in Rezensionen und Aufsätzen«
1971 »Hermann Hesse – Sprechplatte«, »Mein Glaube«, eine Dokumentation, »Lektüre für Minuten«
1972 »Materialien zu Hesses ›Steppenwolf‹«
1973 Hermann Hesse, »Gesammelte Briefe, Band 1, 1895–1921«
»Die Kunst des Müßiggangs«, Kurzprosa aus dem Nachlaß
»Materialien zu Hesses ›Glasperlenspiel‹«

Hermann Hesse
Werkausgabe edition suhrkamp
Gesammelte Werke in zwölf Bänden
3. Auflage 1973
6100 S., leinenkaschiert, DM 96,–

Band 1:	Stufen und späte Gedichte/Eine Stunde hinter Mitternacht/H. Lauscher/Peter Camenzind
Band 2:	Unterm Rad/Diesseits
Band 3:	Gertrud/Kleine Welt
Band 4:	Roßhalde/Fabulierbuch/Knulp
Band 5:	Demian/Kinderseele/Klein und Wagner Klingsors letzter Sommer/Siddhartha
Band 6:	Märchen/Wanderung/Bilderbuch/Traumfährte
Band 7:	Kurgast/Die Nürnberger Reise/Der Steppenwolf
Band 8:	Narziß und Goldmund/Die Morgenlandfahrt/Späte Prosa
Band 9:	Das Glasperlenspiel
Band 10:	Betrachtungen/Aus den Gedenkblättern/Rundbriefe/ Politische Betrachtungen
Band 11:	Schriften zur Literatur I: Über das eigene Werk/ Aufsätze/Eine Bibliothek der Weltliteratur
Band 12:	Schriften zur Literatur II: Eine Literaturgeschichte in Rezensionen und Aufsätzen

»Nie zuvor bin ich auf die Idee gekommen, zwölfbändige Werke zu verschenken.« *Klaus Mehnert*

»Hermann Hesse: ›Schriften zur Literatur‹. Hier sind die Schlüsselworte für Hesses heutige Renaissance zu finden – brisante, soziologisch brisante –, hier kann wirkliches Verständnis für das literarische Werk gefunden werden, hier ist Zeitgeschichte anzutreffen, die auch der Stand der Politologen sich zu Gemüte führen sollte.«
Die Presse, Wien

Hermann Hesse
in den suhrkamp taschenbüchern

Lektüre für Minuten. Gedanken aus seinen Büchern und Briefen. Ausgewählt von Volker Michels. Band 7, 240 S., 85. Tsd. 1973

Unterm Rad. Erzählung. Band 52, 420 S., 65. Tsd. 1973

Materialien zu Hermann Hesse, »Der Steppenwolf«. Herausgegeben von Volker Michels. Band 53, 380 S., 30. Tsd. 1973

Das Glasperlenspiel. Band 79, 618 S., 65. Tsd. 1973

Materialien zu Hermann Hesse, »Das Glasperlenspiel«, Teil I: Texte von Hermann Hesse. Herausgegeben von Volker Michels. Band 80, 390 S., 20. Tsd. 1973

Die Kunst des Müßiggangs. Kurzprosa aus dem Nachlaß. Herausgegeben von Volker Michels. Band 100, 378 S., 20. Tsd. 1973

Materialien zu Hermann Hesse, »Das Glasperlenspiel«, Teil II: Texte über das Glasperlenspiel. Herausgegeben von Volker Michels. Band 108, 378 S.

Klein und Wagner. Erzählung. Band 116, 112 S., 20. Tsd. 1973

Peter Camenzind. Erzählung. Band 161, 164 S.

Der Steppenwolf. Band 175, 120 S.

Siddhartha. Eine indische Dichtung. Band 182, 237 S.

Demian. Die Geschichte von Emil Sinclairs Jugend. Band 206, 266 S.

Ausgewählte Briefe. Band 211, 576 S.

Hermann Hesse
in der Bibliothek Suhrkamp

Die Morgenlandfahrt
Erzählung. Band 1, 124 S., 95. Tsd. 1973

Narziß und Goldmund
Erzählung. Band 65, 320 S., 75. Tsd. 1973

Knulp
Drei Geschichten aus dem Leben Knulps
Band 75, 128 S., 71. Tsd. 1973

Demian
Die Geschichte von Emil Sinclairs Jugend
Band 95, 214 S., 209. Tsd. 1972

Der vierte Lebenslauf Josef Knechts
Zwei Fassungen. Band 181, 164 S., 17. Tsd. 1973

Der Steppenwolf
Roman
Band 226, 240 S., 211. Tsd. 1973

Siddhartha
Eine indische Dichtung
Band 227, 136 S., 130. Tsd. 1973

Politische Betrachtungen
Band 244, 168 S., 12. Tsd. 1973

Mein Glaube
Betrachtungen. Band 300, 152 S., 20. Tsd. 1972

Kurgast
Mit den ›Aufzeichnungen von einer Badener Kur‹
Band 329, 136 S., 13. Tsd. 1972

Stufen
Ausgewählte Gedichte. Band 342, 248 S., 15. Tsd. 1973

Eigensinn
Autobiographische Schriften. Band 353, 256 S., 12. Tsd. 1972

Glück
Späte Prosa: Betrachtungen
Band 344, 143 S., 12. Tsd. 1973

Iris
Ausgewählte Märchen
Band 369, 170 S., 1973

Gesammelte Schriften in Einzelausgaben

Beschwörungen; Bilderbuch; Briefe; Das Glasperlenspiel; Der Steppenwolf; Diesseits; Erzählungen; Kleine Welt; Fabulierbuch; Frühe Prosa; Gedenkblätter; Gertrud; Knulp; Krieg und Frieden; Kurgast; Die Nürnberger Reise; Märchen; Narziß und Goldmund; Peter Camenzind; Prosa aus dem Nachlaß; Roßhalde; Schriften zur Literatur; Siddhartha; Traumfährte; Unterm Rad.

Briefe

Kindheit und Jugend vor Neunzehnhundert. Hermann Hesse in Briefen und Lebenszeugnissen 1877–1894; herausgegeben von Ninon Hesse
Hermann Hesse, Gesammelte Briefe, 1895–1921. Unter Mitwirkung von Heiner Hesse; herausgegeben von Ursula und Volker Michels
Briefe. 2. erweiterte Ausgabe
Hermann Hesse – Thomas Mann. Briefwechsel; herausgegeben von Anni Carlsson
Hermann Hesse – Peter Suhrkamp. Briefwechsel 1945–1959; herausgegeben von Siegfried Unseld

Über Hermann Hesse

Dank an Hermann Hesse. Reden und Aufsätze
Hermann Hesse – Eine Chronik in Bildern; herausgegeben von Bernhard Zeller
Hugo Ball: Hermann Hesse. Sein Leben und sein Werk
Emmy Ball-Hennings: Briefe an Hermann Hesse
Adrian Hsia: Hermann Hesse und China
Siegfried Unseld: Hermann Hesse, eine Werkgeschichte

Sonderausgaben

Hermann Hesse, Die Erzählungen
Hermann Hesse, Weg nach Innen
Hermann Hesse, Schriften zur Literatur, 2 Bde.

insel taschenbuch

Hermann Hesse, Leben und Werk im Bild. Von Volker Michels
Hermann Hesse, Kindheit des Zauberers. Ein autobiographisches Märchen. Illustriert und mit einer Nachbemerkung von Peter Weiss.

Hermann Hesse
Die Erzählungen

*Sonderausgabe in zwei Bänden. Herausgegeben von Volker Michels. 1020 Seiten
Erstmals gesammelt und um 12 unbekannte Erzählungen aus dem Nachlaß ergänzt.*

Die Erzählungen Hermann Hesses, hier erstmals zusammengefaßt und in chronologischer Folge geordnet, bekräftigen sinnfällig die Feststellung Thomas Manns: »Deutscheres gibt es nicht als diesen Dichter und das Werk seines Lebens – nichts, das deutscher wäre im alten, frohen, freien und geistigen Sinn, dem der deutsche Name seinen besten Ruhm, dem er die Sympathie der Menschheit verdankt.« Zwar waren Hesses große Erzählungen, *Knulp, Der Steppenwolf, Narziß und Goldmund, Die Morgenlandfahrt,* von jeher bekannt und beachtet, doch die zahlreichen, nicht als Einzelausgaben erschienenen kürzeren Erzählungen sind unbekannter geblieben. In Sammelbänden verstreut, waren sie schwerer zugänglich und nicht als Gesamtheit überschaubar.
Die ersten dieser in fünf Jahrzehnten entstandenen Erzählungen stammen aus dem Jahre 1903, die letzte wurde 1953 geschrieben. Sie zeigen den Weg und die Entwicklungen eines Epikers, dessen wohltuend unheldische Helden vor alltäglich-unscheinbarem Hintergrund in immer neuen Brechungen die ganze Vielfalt menschlicher Psyche und Verhaltensweisen spiegeln. Nicht unerhörte Begebenheiten, sondern das Unerhörte der alltäglichen Begebenheiten kommt hier zu Wort. Denn so vertraut die Schauplätze anmuten, die Konflikte, die dort ausgetragen und festgehalten werden, wachsen weit über das Lokale hinaus. Der Mikrokosmos des scheinbar Provinziellen und Individuellen verweist vom Detail auf das Ganze. Dabei bedeutet die Lektüre dieser Erzählungen nicht Arbeit, sondern Regeneration. »Denn Hesse kann«, schrieb Kurt Tucholsky, »was nur wenige können. Er kann einen Sommerabend und ein erfrischendes Schwimmbad und die schlaffe Müdigkeit nach körperlicher Anstrengung nicht nur schildern – das wäre nicht schwer. Aber er kann machen, daß uns heiß und kühl und müde ums Herz ist.«